Données de catalogage avant publication (Canada)
Marchand, Jean-Paul, 1944-
    Maudits Anglais ! : lettre ouverte aux Québécois d'un Franco-
Ontarien indigné
    Bibliogr. : p.
    ISBN 2-7604-0350-5
    1. Québec (Province) - Politique linguistique.   2. Langues -
Droits - Québec (Province).   3. Bilinguisme - Canada.
4. Canada - Relations entre anglophones et francophones.
5. Canadiens-Français - Ontario.
I. Titre.
KEQ752.M37 1989   344.714'09   C89-096206-5

L'auteur tient à remercier les personnes
suivantes pour leur collaboration à cet
ouvrage : Marie Rivard, François Tremblay,
Ginette Bélanger, Rose Bilodeau,
Louise Desforges, Normand Desgagnés,
Élie Kheir, Benoît Petit, J.C., P.R.,
Gabrielle Hébert et Maurice Dubé.
Merci également aux artistes caricaturistes
qui nous ont accordé la permission de
reproduire leurs œuvres.

Page couverture : Olivier Lasser
© Les éditions internationales Alain Stanké, 1989
ISBN 2-7604-0350-5
Dépôt légal : deuxième trimestre 1989
IMPRIMÉ AU CANADA

LETTRE OUVERTE
AUX QUÉBÉCOIS
D'UN FRANCO-ONTARIEN
INDIGNÉ

Jean-Paul Marchand

Stanké

Jean-Paul Marchand est né à Penetanguishene en Ontario. Docteur en philosophie de l'université Fordham de New York, il a enseigné cette discipline dans les universités du Manitoba, d'Ottawa, et à Laval. Il réside actuellement dans sa ville natale où il se consacre à l'écriture.

À Paule, Lucrèce, Maurille et Jean-Pierre,
les muses de première heure.

Penetanguishene (Ontario), le 10 février 1989

Je me suis levé ce matin avec un fichu mal de tête. J'ai passé la nuit à jongler avec ce fameux conflit linguistique qui gronde de nouveau au Québec depuis la décision de la Cour suprême, en décembre dernier, sur la question de l'affichage et de la publicité commerciale. Je me suis juré que cette fois-ci j'allais me libérer le cœur et vous écrire quelques mots. Je suis franco-ontarien et, dans le débat actuel, c'est d'une importance capitale. En fait, c'est la raison principale pour laquelle vous devez prendre le temps de me lire et de bien me comprendre. Lors du Référendum, la question était essentiellement québécoise. Aujourd'hui, à cause de plusieurs facteurs, la francophonie canadienne et même nord-américaine est plus directement concernée. Ce ne sont plus seulement les Québécois qui soulèvent la question de leur souveraineté nationale.

Cette fois-ci, c'est la minorité anglophone du Québec qui a enfourché son cheval de bataille pour attaquer de nouveau la loi 101 et occuper une plus grande place sur l'échiquier québécois. C'est elle qui a provoqué la crise actuelle et qui hurle à l'injustice. Or, la question est maintenant celle-ci : Que veulent les anglophones au Québec ?

Peut-être faut-il d'abord souligner qu'un francophone hors Québec, un vieux routier des conflits linguistiques ontariens comme moi, connaît peut-être encore mieux la mentalité d'un anglophone que vous.

Les anglophones, pour vous, constituent une puissante minorité qui a fortement marqué l'histoire du Québec. Leur population est concentrée particulièrement à Montréal et, 11 ans après la loi 101, un grand nombre d'entre eux n'ont pas encore accepté la primauté du français au Québec. Est-ce que cela vous surprend ?

Chez moi, en Ontario, les Anglais ont occupé une place déterminante dans notre histoire. Nous, les francophones, avons été obligés d'apprendre l'anglais et de nous assimiler. À cause de cela, comme minorité, nous nous sommes de plus en plus affaiblis. Pour nous, la majorité anglophone est la force dominante, sinon l'oppression suprême, car c'est elle qui a banni l'enseignement du français des écoles ontariennes pendant plus d'un demi-siècle. C'est encore elle qui a interdit tout usage officiel de la langue française dans l'Ouest canadien depuis près d'un siècle ; et le pire, c'est que tout cela continue.

Les anglophones, nous les connaissons bien. Nous avons lutté contre leur domination pendant plusieurs générations. Nous avons résisté à l'assimilation forcée ainsi qu'à leurs tentatives souvent brutales de nous anéantir culturellement. Croyez-moi, si un seul Franco-Ontarien peut encore parler aujourd'hui dans sa langue maternelle, ce n'est sûrement pas dû à une quelconque générosité de la part des anglophones. Si vous connaissiez mieux mon histoire, vous comprendriez. Les Franco-Ontariens n'ont été l'objet d'aucune pitié de la part des anglophones.

C'est pourquoi je souris amèrement ces jours-ci chaque fois que j'entends dire que les Québécois devraient faire preuve d'une certaine pitié à l'égard des anglophones et leur faire des concessions sur la question de l'affichage commercial.

La communauté anglophone du Québec constitue la minorité la plus choyée au Canada. Elle reçoit un traitement « plus généreux que tout ce qui se fait ailleurs au monde[1] », a lui-même déclaré récemment le Premier ministre Robert Bourassa. Si elle souffre d'une quelconque discrimination, celle-ci lui a toujours été extrêmement favorable. En fait, les Anglo-Québécois ressemblent très exactement à un groupe d'enfants gâtés qui ont pris l'habitude de toujours exiger davantage, sans aucun sens de la mesure.

Qui ne connaît pas des enfants gâtés ? Quand les choses ne tournent plus à leur goût, eh bien ! c'est la crise, les hurlements et les pleurs. Les parents sérieux savent alors qu'à un certain moment, les beaux mots et la raison ne suffisent plus. C'est la discipline qu'il faut imposer pour rétablir l'ordre, l'équilibre et le droit du maître dans sa demeure. C'est pourquoi, dans l'état actuel des choses, manifester une quelconque compassion envers la minorité anglaise du Québec n'a rien à voir avec l'expression d'une certaine ouverture d'esprit.

Au contraire, c'est plutôt faire preuve de grande irresponsabilité, d'un manque de fermeté et de maturité devant le chantage politique des anglophones. Selon moi, se soumettre une fois encore aux exigences de la minorité anglophone entraînerait tellement de conséquences néfastes que cela équivaudrait, pour les Québécois, à signer naïvement leur propre arrêt de mort, et notre arrêt de mort à nous aussi, les francophones hors Québec.

LE FRANÇAIS, LANGUE MAUDITE EN ONTARIO

Si seulement vous pouviez comprendre, comme moi, à quel point les Anglo-Québécois ont été choyés, respectés, gâtés, et cela depuis fort longtemps, par le peuple québécois ! En fait, comparés aux minorités francophones, les Anglo-Québécois sont les riches héritiers de la Confédération, alors que nous en demeurons les enfants pauvres.

Pensez-y bien. Au Québec, les anglophones contrôlent leur propre système scolaire, du niveau primaire jusqu'au niveau universitaire. Ils ont plus de 300 écoles primaires, près d'une dizaine de collèges et même trois universités. En plus, les Anglo-Québécois administrent leur propre système de santé, possèdent leurs propres réseaux de communication, à savoir 3 quotidiens, 18 hebdomadaires, 11 stations de radio et 3 stations de télévision, sans compter les 30 autres chaînes, dont toutes les chaînes américaines, accessibles par câble. Faut-il ajouter que cette communauté est la plus riche et la plus influente au Canada, qu'elle contrôle une grande partie du commerce et de l'industrie et qu'elle détient une voix puissante au sein des gouvernements québécois et fédéral ?

Les Franco-Ontariens seraient très heureux d'avoir seulement le quart des droits que possèdent les anglophones du Québec. Toutefois, mon but, ici, n'est pas de pleurer sur le sort des francophones hors Québec, mais de faire comprendre aux Québécois que les anglophones du Québec ne font pas pitié, malgré tout ce que peuvent dire les D'Iberville Fortier et les juges de la Cour suprême du Canada.

Jamais les Anglo-Québécois n'ont connu l'abolition de leurs droits fondamentaux, même sous la loi 101. Ce n'est pas le cas pour les Franco-Ontariens. Notre histoire à nous commence avec l'interdiction complète de nos droits les plus essentiels.

Un demi-siècle d'interdiction du français

L'enseignement de la langue française, et tout ce qui se rapportait au français en Ontario, fut, en effet, officiellement interdit pendant plus d'un demi-siècle. L'esprit de répression qui est né et qui s'est développé durant ces années-là continue de faire son œuvre encore de nos jours.

Saviez-vous que le racisme envers les francophones était prêché ouvertement dans les réunions publiques par les hommes politiques à la fin du siècle dernier ? Dès 1885, le gouvernement ontarien légifère pour interdire l'enseignement du français dans toutes les écoles de la province. Les francophones de l'Ontario ont, bien sûr, défié cette loi, de même que celle qui suivit en 1890. Ils les ont ignorées et ont continué d'enseigner le français à leurs enfants. Les Anglais croyaient qu'ils avaient fait disparaître le français des écoles de la province, mais ils se sont aperçus, au tournant du siècle, que la langue française était aussi forte sinon plus forte que jamais en Ontario. C'est alors que le gouvernement conservateur et orangiste du temps, dirigé par le Premier ministre James P. Whitney, s'est allié à l'Église catholique irlandaise pour faire adopter, par l'Assemblée législative de l'Ontario, le règlement 17^2, qui interdisait, encore une fois, l'enseignement du français dans toutes les écoles. Pour faire respecter la loi, cette fois-ci, on y ajouta la possibilité d'amendes sévères, de congédiements et de gel des taxes scolaires. Les manuels français venant du Québec étaient détruits et des inspecteurs gouvernementaux circulaient d'une école à l'autre pour s'assurer que le français n'y était plus enseigné.

Le règlement 17 a entraîné des centaines de congédiements et l'imposition de nombreuses amendes. Le gouvernement ontarien a empêché une commission scolaire francophone de la ville d'Ottawa, dont les membres étaient démocratiquement élus, de fonctionner parce qu'elle permettait l'enseignement du français. De plus, les taxes versées par les francophones furent utilisées par des écoles anglaises.

Les protestations, pourtant vives et nombreuses de la part des communautés françaises, furent ignorées ou étouffées. Le gouvernement ontarien ne voulait rien de moins que l'anéantissement de toute trace du français en Ontario et il n'y alla pas par quatre chemins. L'interdiction du français fut complète, partout et en tout temps. Le français n'avait plus le droit d'exister en Ontario et cela, malgré les clauses de protection inscrites dans la Constitution canadienne de 1867.

Les rares anglophones qui se souviennent de cette époque fasciste de l'histoire de l'Ontario pourront protester en disant : « Mais non ! l'enseignement du français n'était pas entièrement interdit sous le règlement 17 ; dans les écoles primaires, le français pouvait encore être utilisé en première année ! » Bien sûr ! pour des besoins d'ordre pratique. Il fallait bien parler le français aux petits francophones ; il fallait bien utiliser un peu de français pour leur enseigner l'anglais et s'assurer de leur anglicisation.

Vous pouvez donc voir à quel point cela peut me faire sourire d'entendre les Anglo-Québécois critiquer les francophones. Alors que le Québec, au tournant du siècle, était déjà sur le sentier du respect des droits de la minorité anglaise, l'Ontario faisait tout le contraire afin d'extirper toute trace de français dans cette province. Les Anglo-Québécois n'ont jamais connu l'interdiction de leurs droits ; ils n'ont jamais vécu en présence de mouvements puissants qui cherchaient leur extermination culturelle. Disons-le, les Québécois francophones ont toujours été respectueux envers la minorité anglaise. Ailleurs au Canada, par contre, il existe et il a toujours existé un manque de respect et une volonté très nette de faire disparaître la minorité francophone. En Ontario, cette dernière s'est fait violer et interdire ses droits les plus élémentaires. Proscrire l'enseignement du français dans les écoles à majorité française sous peine d'amendes et de congédiements, peut-on aller plus loin sur la voie de l'ostracisme ?

Le racisme se poursuit

Plusieurs drames humains ont marqué cette longue lutte pour notre survie culturelle en Ontario. Des emprisonnements, des vies détruites, des gens poussés à la misère et à la souffrance parce que leur langue maternelle était soudainement devenue maudite. Combien de jeunes Ontariens francophones n'ont pas eu accès à un système d'éducation de qualité dans leur langue et ont souffert de cette situation ? Combien de gens sont par conséquent demeurés, pendant des générations, mal éduqués et pauvres à cause du refus du gouvernement raciste de reconnaître leurs droits légitimes ? Incontestablement, la majorité des Franco-Ontariens a profondément souffert de ces lois oppressives.

Remarquez bien que je ne vous parle pas ici de lois qui n'auraient duré qu'un an ou deux. Le règlement 17 est demeuré en vigueur pendant 35 ans, sans interruption. Pensez-y bien, 35 ans ; ce n'est pas peu dire. De 1912 à 1947, le règlement 17 est demeuré la loi de la province de l'Ontario. Trente-cinq ans d'interdiction du français, n'est-ce pas suffisant pour anéantir la culture de la minorité francophone ?

En 1927, quelques assouplissements à la loi furent introduits, permettant l'enseignement du français dans quelques écoles primaires à majorité francophone. Il a fallu attendre 20 ans encore avant que le règlement 17 ne soit entièrement révoqué. Ainsi, avec les lois restrictives imposées en Ontario depuis 1885, nous pouvons parler de plus d'un demi-siècle d'oppression au cours duquel parler le français en Ontario fut une espèce de crime.

Mais l'histoire de notre oppression ne s'arrête pas là. Depuis la révocation du règlement 17, le français pouvait être enseigné dans certaines écoles primaires mais pas dans les écoles secondaires, où l'enseignement du français fut interdit jusqu'en 1968. Jusqu'à cette date, il était impossible de fréquenter une école secondaire française publique en Ontario. Les parents qui voulaient absolument faire instruire leurs enfants en français devaient les envoyer à l'un des trois collèges classiques privés de la province, à Cornwall, Sudbury ou Ottawa. Cela, évidemment, impliquait des déplacements considérables et des dépenses additionnelles énormes que seulement une infime minorité de Franco-Ontariens pouvait se permettre.

Essayez un peu d'imaginer les Anglo-Québécois limités, pendant les années trente, quarante, cinquante et soixante, et même avant, à trois collèges privés pour l'enseignement de la langue anglaise au Québec : l'un à Montréal, l'autre à Sherbrooke et un dernier à Hull ! C'est cela que nous avons vécu en Ontario ! Nous avions le choix, après l'école primaire, d'aller à l'un des trois collèges privés, éloignés et coûteux, ou de fréquenter l'une des nombreuses écoles secondaires anglaises et d'être assimilés.

N'était-ce pas là une façon efficace de brimer les droits d'une population et d'étouffer son évolution culturelle ? Pouvez-vous comprendre maintenant pourquoi la force et le nombre des francophones ont diminué en Ontario ?

UN SIÈCLE D'INTERDICTION DANS L'OUEST

L'histoire de l'enseignement du français dans les provinces de l'Ouest canadien est encore plus triste et misérable. Disons-le tout simplement, ou répétons-le s'il le faut dans les corridors des législatures et des cours de justice de ce pays : la langue française fut officiellement interdite au Manitoba dès 1890 et ailleurs dans l'Ouest pendant près d'un siècle et cela, encore une fois, malgré la clause 23 de la Constitution canadienne qui garantit aux francophones le droit à leurs écoles.

Il faut remarquer que la langue française n'a pas été abolie officiellement en Saskatchewan ; elle fut interdite en 1919 et en 1931[3] par deux manœuvres illégales, et ignorée tout simplement par la suite. Ainsi, depuis sa fondation en 1905, la Saskatchewan, comme l'Alberta, vivait paisiblement dans l'illégalité linguistique. L'acte constitutionnel fondant cette province garantissait le français comme langue officielle. D'ailleurs, au tournant du siècle, la population française dans l'Ouest était presque aussi nombreuse que l'anglaise. Or, les gouvernements ont tout simplement décidé d'ignorer les droits essentiels garantis aux francophones par la Constitution. C'est pourquoi la Cour suprême, celle-là même qui vient d'abolir certaines clauses de la loi 101, a déclaré en février 1988 que la Saskatchewan, comme l'Alberta, vivait dans l'illégalité linguistique depuis sa fondation en 1905. Mais alors, le gouvernement anglophone de la Saskatchewan s'est-il excusé ? A-t-il exprimé le moindre désir d'offrir une compensation à la minorité française pour les torts qu'il lui a causés ? A-t-il même tenté d'ouvrir la porte à la discussion et à la réconciliation ? Mais non ! jamais de la vie ! Le gouvernement de la Saskatchewan a immédiatement procédé à une autre abolition du français, cette fois-ci officielle, avec le projet de loi 2[4] qui fait de cette province une province unilingue anglaise.

L'Alberta, bien sûr, a réagi de façon semblable. D'ailleurs, un député néo-démocrate, M. Léo Piquette, fut expulsé de l'Assemblée législative, en mars 1988, pour avoir osé y parler en français. Peut-on croire que ce genre d'événement puisse avoir lieu dans un pays où le français est la langue officielle ? Après avoir mis Piquette à la porte, le président de l'Assemblée lui a ensuite demandé de faire des excuses. Mais enfin, qui, dans ce pays, doit des excuses constitutionnelles devant les chambres législatives des provinces ? Et à qui ?

Un incident semblable s'est produit au Manitoba en 1983, alors que la Cour suprême du Canada a jugé que cette province ne respectait pas les droits de sa minorité francophone, droits pourtant garantis par la Constitution canadienne. Est-ce que la situation des francophones de cette province s'est améliorée ? Bien sûr que non ! Je vous le dis, il y a plusieurs anglophones racistes et antifrançais dans l'Ouest canadien qui pensent qu'il y a déjà trop de français au pays et qu'il faut le plus rapidement possible abolir cette langue. Prenez garde d'oublier ces deux douzaines de députés conservateurs de l'Ouest, les « dinosaures », dont le but premier est d'enrayer le français au Canada. Ces derniers s'opposent à toute manifestation du français, même sur les boîtes de flocons de maïs !

Des anglophones silencieux devant l'injustice

Souvenez-vous aussi que, pendant ces controverses constitutionnelles dans l'Ouest, les réactions des autres provinces anglaises et du gouvernement fédéral étaient plutôt tièdes, comme si cela allait de soi, comme si c'était normal d'abolir officiellement les droits des francophones après les avoir ignorés illégalement pendant près d'un siècle. A-t-on entendu D'Iberville Fortier, notre commissaire aux langues officielles, critiquer ces provinces de la même façon qu'il a accusé les Québécois d'avoir humilié leur minorité anglaise ?

Pendant ces événements, M. Brian Mulroney a à peine réagi, et M. Robert Bourassa n'a pas osé critiquer M. Grant Devine, le Premier ministre de la Saskatchewan. Quelques beaux mots se sont fait entendre, pour calmer les esprits. Regardez maintenant si les francophones de l'Ouest sont plus avancés. Les derniers clous viennent d'être rivés à leur cercueil culturel et linguistique.

Après tout, ce n'est pas très grave d'abolir les droits des francophones ; « il n'y a rien là », ce ne sont que des francophones et leurs droits ne sont pas vraiment des droits. Mais vouloir restreindre l'anglais de l'affichage commercial extérieur, au Québec, ça alors ! c'est une injustice de la plus haute espèce, un incident qui fait hurler le gouvernement fédéral et les autres provinces anglaises ! Voilà qui amène même certains ministres québécois anglophones à démissionner afin de... mieux vivre avec leur conscience !

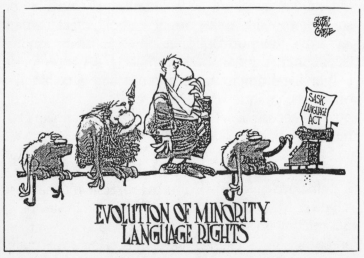

Brian Gable, dans *The Globe and Mail,* 6 avril 1988. (Évolution des droits linguistiques de la minorité)

Mais, bon Dieu ! qui traite le mieux sa minorité linguistique dans ce pays, les anglophones en Ontario et dans l'Ouest ou les francophones au Québec ? Pourquoi avoir la moindre pitié pour les Anglo-Québécois au sujet d'une question secondaire telle que l'affichage commercial, alors que les minorités francophones ailleurs au pays sont traitées avec une inconscience et un durcissement inégalés qui les ont privés de leurs droits les plus élémentaires pendant près d'un siècle ? Devant les cours de justice et les législatures de ce pays, les anglophones méritent-ils plus de respect et de considération que les franco-phones ? Sont-ils supérieurs à nous ? N'est-ce pas là du racisme pur et simple ?

DISCRIMINATION SCOLAIRE

Il y a trois grandes universités anglaises au Québec, ainsi que plusieurs cégeps et collèges. Savez-vous qu'en Ontario, les francophones ne possèdent ni collège ni université de langue française ? Imaginez un peu. Nous n'avons même pas un seul collège public français en Ontario. Et les trois collèges classiques privés que nous avions dans les années cinquante et soixante sont disparus, faute de ressources suffisantes.

Je vous parle ici, remarquez bien, de la province anglaise la plus riche, la plus puissante du Canada, de celle qui, en outre, compte la plus grande communauté francophone à l'extérieur du Québec. Et cette même province s'affiche parfois comme le chef de file national dans le domaine des droits linguistiques des minorités. Quelle fourberie ! Comment se fait-il alors qu'une telle province, si riche et puissante, à proximité du Québec, ne trouve pas les moyens de mettre sur pied une seule institution postsecondaire française ? Le gouvernement ontarien cherche-t-il à bloquer le développement des francophones ? Possède-t-il une volonté politique d'empêcher les francophones de gérer leurs propres institutions scolaires ? En regardant les faits, il est impossible d'en conclure autrement.

Nous avons des institutions dites « bilingues » qui, en fait, assurent la domination anglophone et qui, par conséquent, perpétuent l'assimilation des francophones. À Ottawa, par exemple, il y a deux universités : l'université Carlton, qui est entièrement anglaise, et l'université d'Ottawa, où près de 70 % des étudiants sont maintenant anglophones alors qu'ils n'étaient que 40 % en 1960. Dans de telles circonstances, évidemment, les services en anglais reçoivent la première et la plus grande attention. Les francophones doivent toujours composer avec la priorité accordée d'abord aux anglophones en matière de cours, de publications, de conférences, de bourses, etc. La majorité anglaise a pris le contrôle de l'université d'Ottawa, au point où même les francophones qui y travaillent et qui y enseignent s'échangent des notes de service en anglais. Non seulement l'administration de cette université bilingue est-elle majoritairement anglaise, mais ses orientations et ses priorités le sont aussi.

Il existe une seule autre université « bilingue » dans toute la province de l'Ontario, à Sudbury dans le nord, et elle aussi encourage l'assimilation des francophones. Francophone à 65 % en 1960, l'Université Laurentienne de Sudbury est devenue anglophone à 80 % aujourd'hui.

Le fait qu'il n'existe aucun établissement d'enseignement collégial ou universitaire de langue française en Ontario empêche le développement, en français, de plusieurs professions. Il amène aussi de l'eau au moulin du préjugé qui veut que les francophones soient incapables de gérer leurs propres établissements d'enseignement. C'est une autre façon de projeter l'image que les francophones sont, somme toute, inférieurs aux anglophones. L'absence d'établissement collégial ou universitaire de langue française en Ontario est une preuve flagrante de l'injustice faite aux francophones de cette province.

Les établissements « bilingues » ne sont que de minces concessions faites aux francophones, après des années de luttes et le travail acharné qu'ils ont fourni pour faire reconnaître leurs droits légitimes les plus élémentaires. Les Franco-Ontariens n'ont pas encore, en 1989, de pleins droits en matière d'éducation ; leur système d'éducation primaire et secondaire demeure toujours sous l'autorité d'une administration anglophone.

Des écoles secondaires « françaises » sous des commissions scolaires anglaises

Les établissements dits de langue française en Ontario n'existent qu'aux niveaux primaire et secondaire. Dites-vous bien qu'ils sont d'ailleurs très peu nombreux. À Toronto, par exemple, là où la population francophone compte plus de 100 000 individus, il existe seulement deux écoles secondaires françaises. Rappelez-vous aussi que l'enseignement du français au secondaire, en Ontario, fut interdit jusqu'en 1968 et que, encore aujourd'hui, les quelques écoles secondaires françaises ou bilingues dépendent d'une commission scolaire anglaise.

Là-dessus, toutefois, il y a du nouveau. Depuis 1988, les francophones administrent deux commissions scolaires dans toute la province, l'une à Ottawa et l'autre à Toronto. Il s'agit là des plus récentes concessions faites aux francophones par le gouvernement ontarien : deux commissions scolaires dans toute la province.

C'est très simple. Avant 1988, en Ontario, aucune commission scolaire n'était administrée par les francophones, dont la population dépassait les 500 000. Vous allez me dire : « Eh bien ! deux commissions scolaires françaises en 1988, c'est du progrès ! » Oui, c'est incontestablement du progrès, mais du progrès qui se fait à pas de tortue. Notre développement scolaire et culturel ne souffrira jamais d'un excès de vitesse. D'ailleurs, au rythme où vont les choses, on peut s'attendre à une autre concession semblable d'ici 10 ou 20 ans.

Des concessions au compte-gouttes

Au Québec, les anglophones contrôlent leurs propres commissions scolaires et cela depuis fort longtemps. Comment peut-on expliquer la piètre performance du gouvernement ontarien en matière d'éducation, ce domaine si essentiel à la vigueur d'un peuple ? Pourquoi les Franco-Ontariens n'ont-ils pas encore le plein contrôle de leurs commissions scolaires, à l'égal des anglophones du Québec ? Est-ce dû seulement à des retards administratifs, à des problèmes d'organisation, ou plutôt y a-t-il en Onta-

rio une volonté manifeste de freiner le développement des francophones ?

Des concessions au compte-gouttes et rien de
plus, voilà ce que nous accorde le gouvernement de
l'Ontario en matière d'éducation. Ces concessions
créent seulement l'illusion, peut-être pour le bénéfice
des Québécois, que le développement culturel des
francophones se poursuit en Ontario, alors qu'en fait
c'est l'assimilation qui se poursuit. Le gouvernement
ontarien agit, mais en accordant le moins possible
d'argent, afin de maintenir les francophones dans un
état d'infériorité et de soumission.

Il est évident que les francophones de l'Ontario,
comme ceux des autres provinces, sont des otages
dans une guerre d'images politiques entre le Canada
anglais et le Québec. On peut d'ailleurs s'attendre à
ce que, dans l'actuel climat de conflit linguistique au
Québec, certaines provinces anglaises fassent
certaines promesses à leur minorité francophone.
Peut-être va-t-on ouvrir un quelconque nouveau
dossier, ou encore soulever la possibilité d'accorder
des fonds à tel ou tel projet francophone ?

Mais ne soyons pas dupes. Ces promesses sont
le plus souvent gratuites et ne constituent pas des
engagements véritables. Leur but est avant tout
d'acheter la conscience des Québécois, et à rabais
en plus. Cela nous est parfois profitable. Dans ma
ville natale de Penetanguishene, par exemple, un
projet d'école secondaire française fut annoncé
quelques jours seulement avant le Référendum au
Québec et cela après plusieurs années de luttes avec

le gouvernement ontarien. Mais, même une fois annoncée, la construction de cette école a exigé encore plusieurs années de luttes avant d'être réalisée. Il est incroyable de constater à quel point un gouvernement peut retarder un projet quand il le veut.

Ce jeu politique n'est pas nouveau en Ontario. Depuis les années soixante, alors que le Québec était « transporté » par sa Révolution tranquille et que le Canada subissait son premier éveil au bilinguisme, les Franco-Ontariens ont connu une pernicieuse assimilation encouragée par l'inaction du gouvernement ontarien. Durant ces années, ce n'est pourtant pas le manque d'études ou de rapports qui empêchait le gouvernement d'agir !

Les Franco-Ontariens : 15% en 1960, 5% en 1989

En plus du fameux rapport Laurendeau-Dunton, qui faisait état de la crise majeure accablant le Canada, il y a eu, en Ontario, plusieurs autres rapports officiels dont ceux de Hall-Denis, de Saint-Denis, de Symons, etc., démontrant tous, avec faits et statistiques à l'appui, l'état lamentable de la vie culturelle des Franco-Ontariens. Parmi les explications les plus évidentes, ces études énuméraient les sérieuses lacunes du système scolaire, l'absence d'établissements d'enseignement postsecondaire, l'insuffisance de médias d'information et d'organismes de diffusion culturelle, le manque de ressources dans les organisations socioculturelles, l'intégration au monde du travail, etc. La liste pourrait être facilement triplée. Or, sous l'effet de ces puissants facteurs d'assimilation couplés au manque de volonté politique, la population française qui, durant les années cinquante, comptait pour près de 15% s'est trouvée réduite à 10% en 1969, à 7% en 1980 et à 5% actuellement, en 1989. La tendance est à l'assimilation totale.

De toute évidence, le gouvernement ontarien s'organisait pour agir avec la plus extrême lenteur possible. Par exemple, quand il s'est senti obligé d'accorder des écoles secondaires « bilingues » en Ontario en 1968 — ce qui pouvait sembler être une immense concession —, en fait, dans plusieurs cas, cela s'est résumé à l'enseignement d'un seul et unique cours en français dans toute l'école. Voilà pour l'efficacité et les bonnes intentions de notre gouvernement !

Les autres cours en français, comme l'histoire ou la géographie, ont dû attendre encore plusieurs années avant d'être offerts. De sorte que c'est seulement vers le début des années quatre-vingt qu'on a pu parler de véritables écoles secondaires « françaises », dans le sens où tous les cours sont généralement donnés en français. Les commissions scolaires anglaises, devant qui il fallait plaider, n'exprimaient pas toujours la plus grande ouverture d'esprit.

Des écoles françaises aux écoles d'immersion : l'assimilation s'accentue

Quoi qu'il en soit, l'avenir de ces écoles « françaises » en Ontario est déjà piégé. Si le gouvernement

ontarien s'est en effet engagé sur la voie du bilinguisme durant les années soixante-dix, aujourd'hui,
on voit le prix qu'il nous a fallu payer. Le bilinguisme
« s'il le faut », disait John Robarts, ancien premier
ministre de l'Ontario, mais non pas le biculturalisme.
En d'autres mots, la culture franco-ontarienne a été
sacrifiée sur l'autel d'un bilinguisme qui favorise les
anglophones. Voici pourquoi l'immersion a pris le
dessus dans nos écoles françaises.

    Avec les lois permettant le bilinguisme en Onta-
rio durant les années soixante-dix, le système scolaire
s'est retrouvé, dans les années quatre-vingt, avec un
plus grand nombre d'établissements d'immersion
pour anglophones que d'écoles pour francophones,
peut-être même dix fois plus. Par conséquent, le
système scolaire d'aujourd'hui favorise l'enseignement du français comme langue seconde et non plus
comme langue maternelle. Les écoles primaires et
secondaires, pour lesquelles nous avons lutté pendant
de si longues années, deviennent très rapidement des
établissements d'immersion pour les anglophones.
Or, ce n'est plus le français qu'on y enseigne, c'est
le « French », autrement dit des cours de français
pour les anglophones. Entre-temps, la culture franco-
ontarienne s'effrite et se décompose ; les étudiants
francophones s'assimilent à leurs camarades anglophones, parlent plus souvent en anglais qu'en français dans la cour et les corridors de l'école, et par
conséquent deviennent un peu plus anglicisés. L'immersion des anglophones dans le système scolaire
français de l'Ontario est une autre forme d'assimilation des francophones. Le gouvernement fédéral,

pour sa part, encourage cette tendance. L'an dernier, par exemple, Ottawa a versé 57 millions de dollars au Canada anglais pour l'enseignement du français langue seconde, et ce montant est presque équivalent à celui versé pour l'enseignement du français langue maternelle[5].

L'ouverture de classes et d'établissements d'immersion facilite l'assimilation. Elle sert aussi d'excuse au gouvernement ontarien pour ne pas ouvrir de nouvelles écoles françaises. Pourtant, selon une étude préparée pour le commissaire aux langues officielles du Canada[6], près du tiers des jeunes francophones ontariens n'ont pas encore accès à une école française, soit parce qu'elle n'existe pas dans la région, soit parce qu'elle est trop éloignée et que les jeunes écoliers seraient obligés de voyager par autobus deux ou trois heures par jour pour s'y rendre. Dans de telles circonstances, il n'est pas surprenant de les voir fréquenter l'une des nombreuses écoles anglaises à proximité. D'ailleurs, selon cette même étude, un jeune francophone hors Québec sur deux n'obtient pas l'enseignement en français que lui garantit la Charte canadienne des droits et des libertés depuis 1982.

Autrefois, les Franco-Ontariens constituaient jusqu'à 15% de la population ontarienne ; maintenant, ce pourcentage se situe aux alentours de 5%. Dans quelques années, après le passage d'une seule autre génération, et à mesure que continueront de s'exercer les nombreuses pressions d'assimilation à l'intérieur du milieu scolaire lui-même, ce pourcentage deviendra négligeable. Bientôt, la minorité franco-ontarienne, dont la langue maternelle est le français, sera remplacée dans les écoles et sur la place publique par une autre minorité, bilingue, dont le français sera la langue seconde. Même les dirigeants de la communauté francophone de l'Ontario seront bientôt des anglophones qui parlent le français. N'est-ce pas là l'ultime fourberie : donner l'impression de rendre justice aux francophones tout en encourageant leur assimilation ?

Voilà ce que le gouvernement de l'Ontario souhaite et encourage depuis fort longtemps : qu'il n'y ait plus dans cette province de minorité française avec une longue et riche histoire, prête à revendiquer ses droits légitimes, mais plutôt une minorité essentiellement anglicisée dont le français sera la langue seconde, une minorité bilingue sans histoire, aseptisée par la politique gouvernementale, et dont la culture sera complètement anglaise.

GÉNOCIDE CULTUREL

Que s'est-il passé entre-temps ? Le gouvernement ontarien cherche à souligner les progrès accomplis par les Franco-Ontariens depuis les 20 dernières années. Bien sûr, personne ne peut nier qu'il y en a eu. Nous revenons de si loin : de l'abolition de nos droits essentiels pendant un demi-siècle. Mais les véritables progrès de ces dernières années en éducation se sont accomplis dans le domaine de l'enseignement du français langue seconde, et cela n'améliore pas la situation des Franco-Ontariens.

Dans les domaines autres que l'éducation, fort peu a été accompli jusqu'à ce jour. Les Franco-Ontariens ont été tellement préoccupés par la lutte scolaire, qui n'est pas encore achevée, qu'ils n'ont pu s'orienter vers les domaines socio-économique, politique ou culturel. Dans celui de la santé, par exemple, il existe un seul hôpital « bilingue » dans toute la province, à Ottawa, ce qui se compare mal aux quelque 80 établissements de santé au Québec, dont certains parmi les plus prestigieux hôpitaux de Montréal, obligés de fournir leurs services en anglais autant qu'en français. Dans le domaine des communications, comment peut-on comparer la puissance de la voix anglo-québécoise au silence des Franco-Ontariens ? Alors que les anglophones comptent

3 quotidiens, 18 hebdos, 11 stations de radio, en plus de 30 chaînes de télévision, les francophones comptent quelques petits hebdos locaux et un seul quotidien, *Le Droit* d'Ottawa qui, soit dit en passant, vient tout juste de passer aux mains de M. Conrad Black. Quel avenir peut-on espérer ?

Heureusement que Radio-Canada diffuse à travers la province depuis 1977, car autrement nous n'aurions sans doute jamais connu la télévision française au Canada, à l'extérieur du Québec. Il y a tout de même deux récents projets en Ontario qui valent la peine d'être mentionnés. Il s'agit de la chaîne française de TV-Ontario qui existe depuis 1987 et de la toute nouvelle loi 8[7] qui, dès novembre 1989, est censée garantir les services gouvernementaux en français là où le nombre le justifie. Voilà en effet deux projets qui méritent beaucoup de louanges puisqu'ils contribuent à rehausser l'image du gouvernement face à sa minorité et le met à l'abri des critiques venant du Québec. Par ailleurs, il ne faut pas exagérer l'importance ni la contribution de ces projets au renforcement de la culture franco-ontarienne. Les deux projets, ne recevant que peu de fonds, ne suscitent pas l'intérêt de la communauté francophone.

La chaîne française TV-Ontario séduit moins de 1% des téléspectateurs francophones de la province, et dans le cas de la loi 8 les gens les plus enthousiasmés sont des employés du gouvernement ou encore ceux qui ont récemment trouvé un emploi dans le cadre de l'application de cette loi. Évidemment, cette loi va permettre à certains ministères d'assurer des services en français mais, dans la majorité des cas, elle se limite plus ou moins à fournir les services d'une réceptionniste bilingue.

Des acquis très fragiles

Rien ne garantit d'ailleurs une longue vie à ces beaux projets du gouvernement. Connaissant sa longue histoire de maquillage et de mensonges, nous savons pertinemment que ces deux projets traînent déjà de la patte et vont bientôt se retrouver paralysés dans un méli-mélo bureaucratique. Le gouvernement actuel nous demande de lui faire confiance, mais il est difficile de ne pas s'inquiéter de notre avenir, car le prochain gouvernement peut facilement, s'il le désire, abolir et rejeter par un vote en Chambre tout ce qui a été accompli jusqu'à aujourd'hui par les francophones en Ontario, y compris la loi 8 et la chaîne française. Les Franco-Ontariens ne jouissent pas davantage de protection constitutionnelle que les francophones de l'Ouest, situation qui deviendra encore plus sérieuse avec l'accord du lac Meech. Cet accord ignore complètement les droits des francophones hors Québec, faisant de nous une espèce inexistante selon la loi.

En Ontario, on se fait rappeler souvent que les francophones n'ont pas de droits authentiques ; ce sont plutôt des « privilèges » qui découlent de la générosité du gouvernement. Comme si le gouvernement n'était pas tenu de nous accorder des droits, mais le faisait à cause de son bon cœur ! Nous avons des privilèges qui peuvent être retirés comme peut l'être un permis de conduire.

Pourtant, plusieurs d'entre nous, sinon la vaste majorité des Franco-Ontariens comme moi-même, sommes des descendants de quatre ou cinq générations de francophones venus du Québec et installés ici depuis près de deux siècles. Et nous ne serions pas encore des citoyens à part entière ?

Jean-Marc Phaneuf, dans *Le Devoir*, 11 août 1988.

Je ne mets pas en doute la bonne volonté de certains politiciens ou de certaines gens de langue anglaise qui reconnaissent la légitimité de nos revendications. Mais ils constituent une minorité silencieuse et sans pouvoir. Car, sous-jacent à cette bonne volonté, se trouve un puissant sentiment antifrancophone, répandu en Ontario, qui fait en sorte que le gouvernement ontarien n'ose pas agir ni même donner l'impression d'agir. Une grande partie des Ontariens d'expression anglaise, comme la plupart de ceux de l'Ouest, demeurent farouchement opposés à toute revendication des francophones.

La difficulté d'être franco-ontarien

C'est pourquoi il est difficile d'être franco-ontarien, très difficile. Nous sommes quotidiennement obligés de défendre notre langue et d'affirmer nos droits. Et c'est fatigant, car un droit accordé en théorie par le gouvernement n'est pas nécessairement un droit respecté en pratique. Ce sont deux mondes bien distincts. Alors, quand on fait affaire à l'extérieur de la maison ou en dehors du noyau familial, on ne sait jamais comment on sera reçu et cela, autant dans les bureaux du gouvernement fédéral que provincial. Le problème est encore plus grave dans les services municipaux et dans les commerces locaux. La plupart du temps, on nous crache au visage. « *I don't speak French* », cela veut dire « Parle en anglais », et si l'on insiste pour utiliser le français comme c'est souvent notre droit de le faire, on risque alors d'attendre longtemps avant qu'on nous réponde de nouveau. Il est étrange que nous soyons limités à utiliser notre langue maternelle à la maison. Non, personne ne peut affirmer qu'il aime se faire mépriser constamment, être perçu comme un « problème », un « arriéré », un être inférieur, un accident ou un exilé dans son propre pays.

L'anglais domine partout chez nous, partout. C'est normal. Après tout, nous sommes en Ontario et en Ontario la langue officielle est l'anglais. L'Ontario est une province unilingue anglaise, mais vouloir constamment brimer le développement de la minorité francophone, cela ressemble étrangement à une espèce de racisme systématisé et institutionnalisé. En fait, c'est toujours la même politique que l'Ontario pratique depuis fort longtemps : le prolongement de l'esprit antifrançais né au tournant du siècle cherche notre génocide culturel. Croyez-vous que j'exagère ? Eh bien ! regardez où nous en sommes après plus d'un siècle de luttes !

LES
ANGLO-
HYPOCRITES

Comparer les Anglo-Québécois et les Franco-Ontariens, c'est comparer un bien-portant et un paralytique. D'une part, les Anglo-Québécois se plaignent de voir l'anglais limité dans l'affichage commercial et, d'autre part, les Franco-Ontariens doivent se contenter de la générosité du gouvernement ontarien pour accéder à certains « privilèges » élémentaires après avoir vu leurs droits fondamentaux interdits pendant plus d'un demi-siècle. Mais enfin, où est la justice là-dedans ? Dites-moi, qui est actuellement en train de se faire humilier et bafouer, les Anglo-Québécois ou les Franco-Ontariens ? Quelle culture et quelle langue sont véritablement menacées ?

Il est incontestable que les Anglo-Québécois contrôlent actuellement tout ce qu'il faut pour assurer le plein épanouissement de leur communauté. Ils sont la minorité la plus favorisée au Canada, sinon dans le monde. Au Québec, cela est dû en grande partie au fait qu'ils n'ont jamais connu l'interdiction de leurs droits fondamentaux. Ils ont toujours fait l'objet du plus haut respect de la part des francophones. Les Anglo-Québécois n'osent même pas se comparer aux francophones hors Québec tellement l'injustice et le déséquilibre sont flagrants. Dans les journaux, à la télé et à la radio, le cas des francophones hors Québec est laissé dans l'ombre comme si c'était une affaire réglée.

Si les Anglo-Québécois avaient une juste conscience en matière de langue, s'ils se comparaient aux francophones de l'Ontario, par exemple, ils comprendraient facilement à quel point ils sont une minorité choyée, possédant tout ce qu'il faut pour se développer avec prospérité. Mais ils préfèrent oublier cette injustice flagrante et centrer le débat sur le Québec seulement, là où il prend une tout autre allure.

Une minorité qui parle et agit comme une majorité

En effet, au Québec, les anglophones possèdent l'immense avantage d'être perçus comme une minorité. En réalité, ils sont les porte-parole d'une puissante majorité anglo-canadienne et américaine. Ils se disent minoritaires quand il s'agit de parler de leurs droits ; ils soulèvent cette bannière quand il s'agit d'évoquer les aspects de vulnérabilité et de faiblesse traditionnellement rattachés au statut de toute minorité. Mais quelle façade, quelle illusion ! En fait, ils pensent et se perçoivent comme une majorité puisqu'ils représentent au Québec le pouvoir économique et culturel des Anglo-Saxons de l'Amérique du Nord. C'est pourquoi, d'ailleurs, les événements des derniers mois au Québec ont soulevé tant de vacarme, de protestations et de cris d'injustice à travers tout le Canada anglais. Si vous marchez sur le pied d'un anglophone du Québec, c'est tout le Canada anglais qui crie. Même les journaux américains, le *Los*

Angeles Times, le *New York Times*, le *Chicago Tribune*, ainsi que le *International Herald Tribune* ont tous, depuis quelques semaines, fait état du... « mauvais traitement » réservé à la minorité anglophone québécoise à cause des restrictions sur l'affichage. Les Anglo-Québécois ont non seulement CTV et CBC derrière eux, mais aussi CBS, NBC et ABC.

Ainsi, les Anglo-Québécois n'ont jamais été obligés, dans le passé, de se battre pour leurs droits comme ont dû le faire les francophones hors Québec. Leurs droits leur sont venus par la force même des choses, à la suite de la conquête. C'est aussi la raison pour laquelle cette minorité est incomparable : non seulement possède-t-elle un grand nombre de droits acquis — et pas seulement théoriquement, comme nous —, mais ces droits ont été acquis facilement et sans effort.

Cette minorité ressemble à un enfant gâté, mais cet enfant est puissant et fort, et donc dangereux en un sens pour la survie de la société québécoise. C'est dans la nature d'un enfant gâté de prendre plus de place, d'exiger plus de droits, même quand cela met en danger les intérêts de sa famille. Un enfant gâté qui est puissant est encore plus redoutable.

On oublie trop facilement que le Québec est une véritable minorité en Amérique du Nord, avec tous les dangers que cela implique. La francophonie nord-américaine ne constitue que 2% de la population. La société québécoise doit se définir en fonction d'un environnement culturel écrasant. En effet, les menaces à la survie du Québec français viennent autant de l'extérieur que de l'intérieur. Pensons aux problèmes de dénatalité et d'immigration, par exemple. Le Québec a tout à fait raison de se sentir fragile en tant que peuple francophone. Mais la minorité anglaise incarne toutes ces menaces lorsqu'elle nie délibérément par ses gestes la primauté du français au Québec. Il suffit de regarder la situation déplorable des francophones hors Québec pour se rendre compte de l'inconscience absolue des anglophones envers les francophones au Canada. Cette inconscience a fait son chemin et maintenant elle est rendue au cœur même du Québec français. Après avoir écrasé les francophones hors Québec, pourquoi se retiendraient-ils maintenant à l'égard des Québécois ? Les anglophones du Québec peuvent-ils être différents des Anglais du reste du pays ? Pourquoi le seraient-ils ? Ils appartiennent à la même majorité.

Une minorité qui est l'extension d'une puissante majorité « étrangère »

La minorité anglaise du Québec est l'extension d'une volonté politique canadienne-anglaise qui cherche avant tout à réimposer sa vision et à faire du Québec une province comme les autres.

En ce moment, cette soi-disant minorité anglaise du Québec, tellement bouffie d'orgueil et de confiance historique, cherche, une fois de plus, avec l'aide des autres provinces anglaises, à intimider le Québec français, à le forcer à se plier et à se remettre en question.

Ce ne sont donc ni la justice ni l'équilibre politique que recherchent les anglophones au Québec, mais bien le pouvoir et le prestige d'autrefois. Ne soyez pas dupes : les inquiétudes ou le sort des francophones à l'extérieur comme à l'intérieur du Québec n'ont aucune espèce d'importance pour eux. Les anglophones sont habitués à dominer partout. Leur but est de démolir la loi 101 et de développer le caractère de plus en plus bilingue du Québec afin de reprendre la supériorité politique et économique qu'ils ont, en très grande partie, perdue. L'actuel conflit de l'affichage commercial au Québec est une question de symbole. Ce ne sont pas les droits fondamentaux des anglophones qui sont en cause ici, c'est leur « *self-image* », c'est leur confiance historique d'être les maîtres qui sont atteintes.

Le Canada : une terre d'injustice flagrante pour les francophones

Le Canada, tout autant que l'Ontario, est une terre de flagrante injustice. Le système démocratique au Canada est déséquilibré et favorise les anglophones. Les justes revendications des minorités francophones comme les inquiétudes profondes des Québécois sont balayées du revers de la main au profit des « droits » et des « soucis » des Anglo-Québécois.

Le gouvernement fédéral lui-même agit très hypocritement quand il place sur un pied d'égalité la minorité anglophone du Québec et toutes les autres communautés francophones hors Québec. L'an dernier, en matière d'éducation, Ottawa a versé plus de fonds *per capita* aux jeunes anglophones du Québec qu'aux jeunes francophones hors Québec. La minorité anglophone du Québec, qui compte 580 000 personnes, a reçu 60 millions de dollars du gouvernement fédéral en matière d'enseignement. Par comparaison, les 900 000 francophones à l'extérieur du Québec ont reçu 68 millions de dollars. *Per capita,* cela représente une subvention d'environ 450 dollars pour chaque jeune francophone à l'extérieur du Québec et une subvention de 550 dollars pour chaque jeune anglophone du Québec[8].

Deux poids, deux mesures, voilà le véritable esprit de la Confédération canadienne, une constitution qui accorde le plus possible aux anglophones et le moins possible aux francophones. C'est pourquoi, d'ailleurs, dans l'actuel conflit linguistique au Québec comme dans tous les conflits semblables de l'histoire, ce n'est pas un droit ni une quelconque justice qui est en cause, mais bêtement l'exercice de la loi du plus fort, la dynamique du dominant et du dominé. Et la récente décision de la Cour suprême en est une preuve éclatante.

Anthony Delatri, dans *Le Nouvelliste*, 16 février 1989.

LA COUR SUPRÊME:
oh yeah !

Que la Cour suprême du Canada ait jugé inconstitutionnels certains articles de la loi 101 touchant l'affichage commercial au Québec n'est pas du tout surprenant. Au contraire, rien de plus naturel. Après tout, la Cour suprême est là pour protéger les intérêts du Canada d'abord, non pas ceux du Québec et des Québécois.

Rappelez-vous que, dans toutes les ententes constitutionnelles au Canada, même dans celle du lac Meech, se trouve toujours une certaine reconnaissance du caractère français du Québec. On y admet volontiers que la province est en majorité francophone. D'ailleurs, comment pourrait-on faire autrement ? Toutefois, cette reconnaissance est toujours subordonnée de façon très nette, *de jure,* à la reconnaissance de la dualité canadienne. Autrement dit, en matière constitutionnelle, tout jugement de la Cour suprême doit placer l'aspect du bilinguisme au-dessus du caractère français du Québec. N'importe quel juriste vous le dira : la dualité est la caractéristique fondamentale du Canada.

Par contre, cette dualité ne s'applique pas également à toutes les provinces canadiennes. Les provinces anglaises ne sont pas tenues de la reconnaître. Dans ce cas, l'aspect bilingue est assuré par la seule présence du gouvernement fédéral. Sur 10 provinces, 8 sont de ce type. Le Nouveau-Brunswick et le Québec font exception. Le Nouveau-Brunswick est officiellement bilingue, quoique les droits des francophones n'y soient pas beaucoup plus respectés que ceux des Franco-Ontariens. Reste donc le Québec.

Mais le Québec est appelé de nouveau, dans le cadre de cet esprit constitutionnel, à devenir une province essentiellement bilingue. Cela remonte à la Confédération, en 1867, quand le Québec devint la seule province obligée d'avoir une « personnalité » bilingue. Dans cet esprit, par conséquent, même le parlement de Québec est légalement tenu de subordonner la promotion du français à la protection de la dualité canadienne. En somme, cela veut dire que les droits de la minorité anglaise au Québec passent avant ceux de la majorité française parce que cette minorité assure le caractère essentiellement bilingue du Québec. Quelle camisole de force pour le Québec !

L'idée même d'un Québec unilingue français s'oppose en soi directement à toute l'histoire constitutionnelle du Canada et aussi à toute l'idéologie de la Cour suprême.

La Cour suprême : des décisions biaisées en faveur de l'anglais

Les juges qui ont rendu le jugement — Brian Dickson, Jean Beetz, William McIntyre, Antonio

Lamer et Bertha Wilson — ont tous été nommés par l'ancien premier ministre Trudeau qui, lui, prêchait une vision bilingue du pays, un bilinguisme qui devait se développer d'abord et avant tout au Québec. Pourtant, cette même Cour suprême, tout au long de son histoire, a trouvé les moyens de permettre l'unilinguisme anglais en Ontario et dans l'Ouest canadien.

La Cour suprême n'est pas infaillible et ses jugements ne sont pas sacrés. Au contraire, ses décisions sont très claires en matière de langue, car elles reflètent toujours un penchant pour l'anglais et véhiculent la tradition canadienne, qui cherche avant tout le bilinguisme au Québec et l'anglicisation des francophones ailleurs au pays.

C'est la quatrième fois que la Cour suprême intervient dans le débat linguistique au Québec et, à chaque fois, elle trouve le moyen de réduire l'ampleur et la portée de la loi 101 et d'ouvrir une nouvelle porte à la bilinguisation du Québec.

En 1979 d'abord, seulement deux ans après que la loi 101 a été promulguée, la Cour suprême détermine que les procédures juridiques au Québec doivent se dérouler en français et en anglais : voilà une première victoire pour les anglophones. Ensuite, en 1981, ce même droit au bilinguisme est étendu à l'Assemblée nationale et à tous les organismes du gouvernement : cette deuxième victoire était parrainée par Me Peter Blaikie, l'ancien président du Parti conservateur canadien. Enfin, en 1984, la clause Québec, limitant l'accès des écoles anglaises aux enfants dont l'un des parents a étudié en anglais au Québec, est remplacée par la clause Canada qui, elle, ouvre la porte toute grande aux enfants dont l'un des parents a étudié en anglais au Canada.

Dans chacune de ces décisions, la Cour suprême invoquait les articles 23 ou 133 de la Constitution canadienne de 1867 pour invalider la loi 101. Selon les juges, le Québec ne pouvait pas modifier unilatéralement la Constitution canadienne. Pourtant, combien d'autres provinces canadiennes ont réussi à contourner cette même Constitution, et cela à maintes reprises, soit en éliminant les droits et les services aux francophones, soit en proclamant tout simplement leur province unilingue anglaise ?

La plus récente décision de la Cour suprême porte sur l'affichage commercial et, une fois de plus, elle trouve le moyen d'accorder plus de place à l'anglais au Québec. Cette dernière décision s'ajoute à toutes les précédentes. Elle constitue une autre atteinte directe au cœur et au visage mêmes du Québec français, à sa vitalité et à son épanouissement. En somme, cette dernière décision mène le Québec sur le chemin du bilinguisme intégral et ensuite sur celui de l'assimilation.

L'anglais ne fait face à aucun danger au Québec

Dans son jugement, la Cour suprême insiste sur le fait que les Québécois entretiennent des inquiétudes profondes au sujet de la survie de la langue et de la culture françaises en Amérique du Nord. Évidemment, ces inquiétudes doivent être fondées, puisqu'on ne cesse d'en parler au Québec et que la Cour suprême elle-même prend la peine de les mentionner. Les juges n'ont pas parlé d'une quelconque menace pesant sur l'anglais au Québec ou ailleurs, parce qu'un tel danger n'existe pas. En effet, l'anglais ne fait face à aucun danger en Amérique du Nord ; c'est la survie de la langue française au Québec et ailleurs qui est menacée. Voilà le fait concret, la réalité que personne ne peut nier, même pas la Cour.

Pourtant, la Cour juge que les articles 58 et 69 de la loi 101 limitant l'affichage commercial en anglais ne sont pas « proportionnés[9] » à l'objectif d'assurer le visage français de la société québécoise. En d'autres mots, la Cour a évalué les inquiétudes des Québécois et a jugé qu'elles n'étaient pas suffisamment sérieuses pour qu'il vaille la peine de maintenir en place ces articles de la loi 101, comme si ces articles dépassaient une certaine norme, comme s'ils étaient trop excessifs dans leur volonté de préserver le visage français du Québec. Mais voilà une évaluation qui n'est pas du tout évidente. C'est une affirmation gratuite, une opinion qui demeure ni plus ni moins injustifiée dans le jugement et qui équivaut à dire que les juges pensent différemment de la majorité des Québécois qui veulent maintenir ces articles de la loi 101.

En somme, la Cour suprême a sous-estimé les menaces qui pèsent sur la langue française. Il est plus important pour elle d'élever le discours commercial au niveau des libertés fondamentales plutôt que de soutenir des mesures qui protègent le français au Québec. Pourtant, la Cour aurait pu se prononcer favorablement et maintenir la loi 101 ; son jugement aurait alors été aussi juridique, aussi logique, aussi légitime, mais pour ce faire, elle aurait été obligée de prendre au sérieux les soucis légitimes des Québécois. Mais, entre la survie du Québec français et l'affichage commercial anglais, la Cour a choisi l'affichage commercial. C'est aussi simple que cela. La Cour a fait fi des inquiétudes profondes des Québécois afin d'accorder un peu plus de pouvoirs et de droits aux anglophones du Québec.

Une décision qui reflète les intérêts des anglophones

Il n'est donc pas surprenant que le sondage Gallup publié dans le *Toronto Star* du 13 janvier 1989 reflète la décision de la Cour. La question posée était celle-ci : « Qu'est-ce qui est le plus important, le droit à la liberté d'expression dans l'affichage commercial pour les anglophones, ou la survie de la langue et de la culture françaises au Québec ? » Évidemment, 55 % des Canadiens ont jugé la liberté d'expression plus importante. Comment aurait-il pu en être autrement puisque la majorité des Canadiens interrogés étaient des anglophones ? Il est de toute évidence facile de mettre de côté les soucis légitimes des Québécois quand on n'est pas francophone.

Il était sans doute difficile pour les juges de réagir autrement quand l'un des avocats d'Alliance Québec comparait le Québec aux pays du Tiers-Monde en matière de langue. « L'interdiction de l'usage d'une langue est un événement exceptionnel, a déclaré Me Magnet. C'est le genre de chose qu'on ne trouve que dans les pays coloniaux et les pays du Tiers-Monde, quand une majorité dominante tente de faire disparaître une minorité. Ces exemples, a-t-il poursuivi, ne caractérisent pas un pays libre et démocratique comme le Canada[10]. » En lisant ces mots, j'avais l'impression que l'avocat parlait des francophones hors Québec, non pas des Anglo-Québécois. Mais les juges ont-ils pris cette argumentation au sérieux ?

Raoul Hunter, dans *Le Soleil*, 17 décembre 1988.

Quand je pense que l'article 58 de la loi 101 exigeait le français comme langue exclusive, mais permettait déjà plusieurs exceptions dans le domaine de l'affichage, que cette loi ouvrait déjà la porte à une grande flexibilité ; quand je pense que la loi 101 répondait en plus à un véritable et authentique besoin de calmer les inquiétudes de toute la société québécoise et qu'elle avait assuré la paix linguistique pendant près de 12 ans au Québec ; quand je pense que la Cour a écarté toutes les considérations importantes pour permettre l'exercice d'un droit factice aux anglophones du Québec, je dois conclure que le jugement de la Cour suprême est biaisé, injuste, et qu'il tient seulement compte des intérêts de la minorité anglo-québécoise.

LIBERTÉ D'EXPRESSION
OU CHANTAGE
JURIDIQUE?

Dans tout ce blablabla qui entoure le débat sur la liberté d'expression, on crée l'impression que les Anglo-Québécois n'ont actuellement aucune liberté d'expression commerciale, que celle-ci serait interdite par la loi 101. Cela est manifestement faux. Les Anglo-Québécois possèdent déjà plusieurs moyens de véhiculer un discours commercial par leurs journaux, leurs radios ou leurs télés, des moyens beaucoup plus nombreux que ceux que possèdent les Franco-Ontariens.

Pourtant, les juges leur accordent un nouveau droit, même si cela peut mettre en danger la survie de la culture française. On parle de droit à l'affichage et à la publicité commerciale comme s'il était fondamental, comme si les Anglo-Québécois n'avaient aucun autre moyen de s'exprimer commercialement. N'est-ce pas, là encore, faire pencher la balance en faveur de l'anglais malgré les réelles menaces qui pèsent sur le français au Québec ?

C'est la toute première fois dans l'histoire de la jurisprudence canadienne que des juges étendent le principe de la liberté d'expression individuelle au domaine du commerce et ce précédent laisse plusieurs juristes sceptiques[11]. D'ailleurs, pour fonder leur décision, les juges ont dû s'appuyer sur des causes américaines[12]. Eh oui ! faute de précédent canadien, les juges se sont servis d'une jurisprudence américaine, comme si, au Québec, il était normal de recourir aux tribunaux français pour rendre un jugement. Est-ce que cela est assez fort pour vous ? C'est du moins ce qui me fait penser que le jugement est au fond plus politique que juridique. Et même là, le lien juridique entre la liberté d'expression individuelle et l'affichage commercial demeure ambigu. M. Claude Ryan lui-même a écrit : « ...la promotion et la publicité des produits, des biens et des services, dans un but lucratif, se rattache bien davantage, dans mon esprit, à la liberté du commerce qu'à la liberté d'expression proprement dite[13] ». Et encore, étendre le droit de la liberté d'expression au discours commercial ne soulève-t-il pas des questions au sujet de l'interdiction de la publicité touchant l'alcool et le tabac, ou encore certains produits jugés dangereux pour le bien-être de la société entière ? Il y a des raisons, et souvent de très bonnes raisons, pour limiter certaines formes du discours public ou commercial, tout simplement parce que cela constitue une menace à la sécurité ou à la santé de la collectivité. La survie du Québec français doit être sûrement aussi importante que la question du tabac et celle de l'alcool. Pour les juges, toutefois, comme pour la majorité des Canadiens anglais, la question de la survie de la collectivité québécoise est moins importante. En plus, on argumente comme si ce droit à l'affichage commercial était un droit fondamental. Là encore, il ne faut pas charrier. Faut-il placer sur un même pied d'égalité les droits d'un commerce ou d'une société commerciale et les droits d'une personne en chair et en os ? On donne l'impression que les anglophones se font violer dans leur personne, alors que l'enjeu se situe ailleurs, c'est-à-dire dans la survie d'une société entière.

Avec le concept de la liberté d'expression qui est normalement consentie aux individus, la Cour accorde ce pouvoir, ce droit, aux commerces qui, par conséquent, l'emportent sur ceux de la société québécoise tout entière, alors que le Québec est minoritaire dans l'ensemble nord-américain et qu'il a bien plus besoin d'être protégé. On crée la fausse impression que la liberté d'expression individuelle des Anglo-Québécois était brimée par la collectivité francophone, mais que penser alors de la liberté d'expression individuelle des Québécois quand leur avenir en tant que collectivité n'est plus assuré ?

Enfin, ce dernier jugement de la Cour suprême serait-il son jugement dernier, ou encore ses « versets sataniques » pour le Québec ?

178 :
CADEAU AUX ANGLAIS

La Cour suprême a donc rendu sa décision, le 15 décembre 1988. C'est à nouveau la crise linguistique, la déchirure de la société québécoise. Joyeux Noël et bonne année à toi, Québec français ! La décision abolit entièrement l'article 58 de la loi 101 en permettant l'affichage commercial en anglais dans tous les commerces, aussi bien à l'extérieur qu'à l'intérieur. La Cour se prononce pour le bilinguisme intégral au Québec, un bilinguisme qui est « juste », selon elle. Elle rejette les inquiétudes légitimes du Québec français pour favoriser entièrement le point de vue et les intérêts des anglophones. Quel sac d'ordures !

Par la suite, Robert Bourassa a dû agir avec beaucoup d'empressement pour combler ce « vide juridique » et introduire, dès la semaine suivante, la loi 178 qui maintient, comme vous le savez, l'affichage unilingue français à l'extérieur, mais qui permet dorénavant l'affichage en anglais à l'intérieur des commerces. Bourassa a, semblerait-il, coupé la poire en deux. Mais ce n'est pas le cas. Il a donné aux anglophones et il a enlevé aux francophones. Cela constitue un nouveau pas en arrière dans la défense légitime du français au Québec.

Curieusement, avec la loi 178, les francophones sortent nettement perdants et devraient critiquer énergiquement. Pourtant, ce sont les cris de protestation des anglophones qu'on entend le plus. Il fallait s'y attendre. Les anglophones et Alliance Québec prévoyaient une soumission totale du gouvernement du Québec à la décision de la Cour suprême. Ils espéraient que, devant un pareil jugement, les francophones ne réagiraient pas.

La loi 178 : une menace à la langue française

Mettons de côté toute la question de l'ambiguïté de l'application de cette loi, avec les questions de nombre, de grandeur, de lieu des affiches ; mettons de côté la tour de Babel réglementaire que cette loi va créer sur le plan de l'interprétation et de l'administration. La loi 178 constitue en soi une atteinte sérieuse à l'intégrité de la langue française au Québec.

L'affichage commercial bilingue affectera particulièrement la région de Montréal, où se concentre le gros des affaires au Québec. C'est en effet à Montréal que se trouvent la moitié de la population québécoise, les deux tiers de son économie et l'essentiel de ses industries culturelles. En somme, c'est le cœur du Québec qu'on atteint. Le message : les affaires se font maintenant autant en anglais qu'en français. Vous savez comme moi ce que cela veut dire. L'anglais prendra le dessus sans trop tarder. Il est évident qu'en permettant l'anglais dans les commerces et les affaires au Québec, on permet que Montréal, à toutes fins pratiques, devienne anglaise.

Montréal est aussi le véritable centre d'intégration des immigrants québécois. Avec l'affichage bilingue à l'intérieur, on envoie un message très clair à tous les travailleurs immigrés : ils peuvent désormais vivre et travailler en anglais, dans la langue d'une minorité. Si le français et l'anglais sont mis sur un pied d'égalité, les immigrants et les travailleurs vont adopter l'anglais, naturellement.

Presque 60% des travailleurs québécois sont à l'emploi de petites entreprises de moins de 50 employés qui ne sont liées par aucun programme de francisation. Pensez-vous que, dans de telles circonstances, le Québec pourra résister à l'anglicisation ?

Selon un récent rapport de Statistique Canada[14], la très grande majorité des immigrants venus au Québec s'installent à Montréal et 75% d'entre eux choisissent l'anglais comme langue d'usage. C'est donc dire que, sous la loi 101, il y avait de sérieuses faiblesses dans le système d'intégration des immigrants au Québec. Les immigrants savent bien à quel point l'anglais domine à Montréal puisqu'ils peuvent vivre dans cette langue sans se sentir obligés d'apprendre le français.

Dans un autre rapport du gouvernement fédéral[15], on estime que Montréal est la ville la plus bilingue du pays : près de 50% de la population y parle les deux langues et la majorité des gens bilingues sont, bien sûr, des francophones.

Alors, si la tendance vers l'anglais est déjà prononcée chez les immigrants et si les Anglais sont déjà extrêmement bien servis en étant la minorité la plus choyée au monde, pourquoi, bon Dieu ! favoriser encore plus cette tendance par l'affichage quand cela porte atteinte à l'intégrité et à la survie du français au Québec ?

La force symbolique de l'affichage

L'affichage en français au Québec a une valeur symbolique extraordinaire. Il symbolise la primauté du français. Il contribue à créer une image de la province qui est de toute première importance. C'est en fonction de cette image que s'établissent la fierté et la confiance d'un peuple. Si les Québécois projettent une image de faiblesse et de soumission, alors cela se répercutera sur tous ses habitants. L'image d'un peuple est semblable à l'image que l'on se fait de soi-même. Quand on croit en soi-même, on tente de franchir des montagnes et d'atteindre les sommets ; c'est alors qu'on rêve de nouveaux projets et qu'on trouve le courage d'aller jusqu'au bout de sa foi. L'image nationale, dans ce sens, reflète l'âme du peuple. Actuellement, dans ce monde occidental démesurément concurrentiel et compétitif, les jeunes du Québec ont besoin d'un solide fondement de fierté et de courage si l'on veut qu'ils cultivent le goût de se surpasser. L'image nationale est un des fondements de la confiance individuelle et collective.

Mais là, avec les changements récents apportés à la loi 101 par la loi 178, le message projeté au

Canada et dans le monde est que le peuple fléchit.
Ce peuple devenu fier et courageux tremble maintenant et semble s'affaiblir sous la pression accrue
des anglophones. Quelle victoire pour ces derniers !
Le Québec est maintenant sur le chemin du bilinguisme. Même dans le journal *Le Monde*[16], au lendemain de l'annonce de la loi 178, on pouvait lire en
manchette : « Le retour de l'anglais au Québec. »

Jean-François Guay, dans *Le Quotidien*, 22 avril 1988.

En public, les Anglais critiquent et hurlent ; mais en privé, ils rient bien car la loi 178 est l'expression de la mainmise anglaise et étrangère sur les intérêts du Québec et sur sa destinée. C'est la raison pour laquelle les anglophones tiennent mordicus à l'affichage bilingue. Il s'agit là du moyen par excellence d'angliciser le Québec. Le Premier ministre Robert Bourassa lui-même a été forcé de l'admettre : « Le français et l'anglais ne sont pas égaux en Amérique du Nord ; l'affichage extérieur bilingue provoquerait un mouvement d'anglicisation[17]. » Mais il n'a pas ajouté que l'affichage bilingue à l'intérieur des commerces est un grand pas dans la même direction.

LE TANGO
BOURASSA

Dire que trois ministres anglophones ont démissionné pour protester contre la loi 178, comme si celle-ci constituait un terrible affront à la minorité anglaise du Québec ! Quelle comédie ! Il est évident que les anglophones gagnent beaucoup avec la loi 178 puisqu'elle ouvre la porte toute grande au bilinguisme intégral. Non seulement les francophones ne gagnent rien, mais ils perdent de façon substantielle. Alors, pourquoi ces démissions fracassantes de la part des ministres anglophones ? Est-ce une manœuvre de chantage politique pour mieux faire avaler la pilule empoisonnée ? Est-ce un grand brassage publicitaire pour donner l'impression que les anglophones ont perdu et qu'ils ont été atteints dans leur dignité ? Est-ce une façon d'attirer l'attention sur les anglophones plutôt que sur les francophones et de faire oublier à ces derniers qu'ils sont maintenant les perdants ?

Dire que Clifford Lincoln a démissionné pour mieux vivre avec sa conscience ! Est-ce qu'on essaie de rire des francophones du Québec et d'ailleurs au Canada ? Peut-être que M. Lincoln est respecté en tant qu'ancien ministre de l'Environnement, mais ses propos à l'Assemblée nationale laissent croire que les anglophones ont reçu le pire affront de leur histoire.

Les anglophones ont besoin de ce droit d'affichage « pour pouvoir se sentir valorisés dans leur peau[18] », a dit Lincoln. Pourtant, ils ont quantité de droits, les anglos du Québec, comparativement aux francos de l'Ontario. M. Lincoln affirme : « L'affichage n'est pas une question de confrontation entre anglophones et francophones, mais un débat de société sur la conception des droits. Ce n'est pas une affaire d'affiches seulement, mais de droits » et « Les droits sont des droits. » Il ne peut pas accepter qu'on les diminue ou qu'on les réduise.

Eh bien ! qu'il vienne dire ça aux minorités francophones de l'Ouest canadien et de l'Ontario au lieu de polluer le Québec avec de pareils sophismes !

Dire que M. Herbert Marx fut le plus inflexible des ministres anglophones dans cette affaire linguistique au Québec, lui qui, comme ministre de la Justice, a non seulement payé les avocats d'Alliance Québec, mais les a payés plus cher que les avocats qui défendaient la loi 101 au nom du gouvernement du Québec ! On se demande pourquoi le dossier de la loi 101, si important pourtant pour le Québec, s'est retrouvé dans les mains de cet homme !

La connivence de Robert Bourassa et des Anglo-Québécois

Dans cette affaire, le Premier ministre Robert Bourassa s'est senti obligé d'admettre que sa position était « difficilement défendable[19] », étant donné la contradiction. Mais n'est-ce pas plutôt une preuve irréfutable de sa connivence avec la minorité anglaise, et même une preuve de sabotage et de trahison des intérêts premiers des Québécois ?

Et c'est lui qui accuse d'extrémisme ceux et celles qui défendent la loi 101 au Québec ! Ceux et celles qui veulent un Québec français sont tout à coup des irrationnels, des dangereux et des extrémistes, des « *pit bulls* », a même ajouté pour sa part l'ancien ministre « responsable » de la question linguistique, M. Guy Rivard.

Quelle insulte, une fois de plus, pour les Québécois ! Comme si se défendre, comme si vouloir affirmer les droits les plus essentiels à sa survie étaient devenus des actes d'extrémisme ! Comme si les 62% de Québécois qui se sont déclarés en faveur de la loi 101 et insatisfaits de la loi 178 dans le sondage du *Soleil* de Québec, le 23 décembre 1988, étaient tous des extrémistes !

Bourassa a récemment affirmé, à propos de la loi 178 : « Il s'agit d'une loi qui fait l'équilibre entre les droits collectifs et individuels, qui renforce la loi 101 à certains égards tout en l'épurant de ses ambiguïtés[20]. » Mais cette loi cherche à faire l'équilibre dans le Parti libéral et non pas dans la population québécoise. Comment peut-on prétendre renforcer la loi 101 alors qu'on lui enlève son caractère essentiel, qu'on y introduit des éléments qui mènent à la bilinguisation ? Ce n'est pas la loi 101 qui est ambiguë ; elle était claire en disant que le français est la langue officielle au Québec. C'est la loi 178 qui est ambiguë et incohérente avec l'unilinguisme à l'extérieur et le bilinguisme à l'intérieur.

Que pensez-vous de tant d'hypocrisie ? Dans le cadre de sa tribune dominicale à Radio-Mutuel, le 8 janvier, M. Bourassa déclarait : « Mon gouvernement croit que son devoir le plus impératif consiste à protéger et à promouvoir l'avenir des francophones du Québec ; et c'est le français et non l'anglais qui est menacé au Québec[21]. » Il dit une chose et fait exactement le contraire. Il veut protéger le français au Québec, mais introduit la loi 178 qui l'affaiblit. Pourra-t-on tolérer ce genre de politicien au Québec encore très longtemps ?

Selon moi, Bourassa sous-estime les Québécois et les traite avec le plus grand mépris. Il croit les avoir dans son sac. C'est pourquoi il se permet de dire et de faire n'importe quoi et ce, malgré les plus flagrantes contradictions. D'ailleurs, sa préoccupation majeure en ce moment n'est pas de défendre les intérêts du Québec français, mais de plaire, de séduire les anglophones de son parti en leur faisant des concessions supplémentaires. D'abord, c'était la suggestion d'avoir des enclaves bilingues ici et là dans la province, comme dans l'Estrie, dans la Gaspésie et dans l'ouest de l'île de Montréal. Ensuite, c'était l'idée du bilinguisme sur les routes. Mais où va enfin s'arrêter cette danse de la séduction pour les anglophones de son parti ? Tout récemment, M. Bourassa a cherché à faire couper d'un tiers le budget projeté du Conseil de la langue française : pour des raisons administratives et budgétaires, pensez-vous ? ou simplement

pour paralyser et faire taire cette organisation qui
défend les intérêts francophones au Québec ?

Le parti de Robert Bourassa est-il le parti des anglophones ?

Bourassa est en train de faire toutes les acro-
baties politiques imaginables sur le dos des Québécois afin de séduire ses amis anglophones soi-disant
blessés en leur accordant des concessions déjà très
coûteuses pour l'avenir du Québec français.

Il est facile de comprendre l'attitude et la prise
de position de Bourassa. Il cherche à donner l'impression que la loi 178 est la loi la plus raisonnable,
la plus juste pour le bien-être du Québec français et
que la loi 101 serait une loi trop sévère et extrémiste.

Il est évident que Bourassa est en train, actuellement, de sacrifier l'avenir du Québec français pour
sauver son avenir politique comme chef du Parti libéral. Il est en train de faire avaler une pilule suicidaire
au Québec français, une pilule qui va peut-être lui
permettre de réconcilier les francophones et les
anglophones au sein du Parti libéral. Aux prochaines
élections, Bourassa voudra projeter l'image d'un
grand défenseur des droits des Québécois. Est-ce
possible ?

Bourassa n'est pas un véritable homme d'État.
Il n'a pas vraiment à cœur les intérêts du Québec. Il
n'est plus l'homme de la situation. Les conflits à l'intérieur de son parti ont préséance sur les intérêts du
Québec tout entier. Plutôt que de reconnaître les

dangers extrêmes auxquels il expose le Québec avec
sa loi 178, plutôt que de reconnaître que cette loi
ouvre la porte toute grande au bilinguisme et à l'anglicisation, plutôt que de reconnaître qu'il fait de
grandes concessions aux Anglo-Québécois au détriment du Québec français, Bourassa se contente de
pondre une loi qu'il croit capable de cimenter les
divisions au sein du Parti libéral.

Dites-moi, que pensez-vous de ce tour de passe-
passe à la Bourassa ?

Bourassa entretient un double langage

Bourassa dit que la loi 178 renforce la loi 101 ;
il dit que les francophones en sortent gagnants.
Bourassa est prêt à dire n'importe quoi. Bientôt, d'ailleurs, si ce n'est pas encore déjà fait, on peut s'attendre à ce que, dans la rhétorique politique des
prochaines semaines, d'ici l'élection de 1989,
Bourassa tente de convaincre les Québécois qu'il est
toujours possible de maintenir la loi 178 et de renforcer en même temps la francisation au Québec. Bien
sûr, il dira que le gouvernement va maintenant accé-
lérer et étendre les mesures de francisation dans les
entreprises et les commerces.

Mais, avant longtemps, quand le bilinguisme aura
fait son chemin, quand l'anglicisation se répandra
magasin par magasin, quartier par quartier, on parlera
de francisation comme d'un rêve qu'on aura peine
à imaginer.

Je suis même persuadé que, dans cet embrouil-
lamini réglementaire entourant l'application de la

loi 178, Bourassa va trouver les moyens, très douce-
ment bien sûr, d'introduire l'affichage commercial
bilingue extérieur. Bourassa va tout faire et tout dire
afin de vendre sa loi 178 et de gagner la prochaine
élection. Son gouvernement prendra soin de développer très subtilement un double langage. La société
québécoise sera encore une fois perdante si elle le
réélit.

Selon le dernier rapport de l'Office de la langue
française du Québec[22], il y a à peine une entreprise
sur deux (50%) qui a achevé le processus de francisation. Et dans le cas des PME, seulement 60% l'ont
effectué. C'est donc dire que, sous la loi 101, le français était en train de faire des progrès, mais qu'il restait
encore du chemin à faire. En effet, même avec la
loi 101, le Québec français souffrait de certaines
faiblesses. La puissance de l'anglais est tellement
grande en Amérique du Nord que le Québec restait
menacé d'anglicisation, même avec l'application
intégrale de la loi 101.

La loi 178, par conséquent, est peut-être un bon
compromis pour le parti de Robert Bourassa, mais
elle crée une situation intolérable et suicidaire pour
le Québec français. La loi 178 encourage l'anglicisation du Québec. Et c'est Bourassa lui-même, le
Premier ministre du Québec, qui se fend en quatre
pour rendre la tâche plus facile aux anglophones du
pays.

ENCORE
DU CHANTAGE!

Le chantage politique ne se limite pas seulement au Québec. Tous les partis politiques fédéraux ont condamné le geste de Bourassa, surtout l'utilisation de la clause nonobstant. Oh! quelle ironie! Le Premier ministre Mulroney l'a même jugée immorale.

La clause nonobstant, rappelez-vous, permet à un gouvernement de soustraire une loi ou une partie de loi de la Charte des droits et libertés du Canada. Ce mécanisme est permis par la loi constitutionnelle de 1982 et a été accordé à toutes les provinces par l'ancien premier ministre Trudeau pour assurer, à ce moment-là, le rapatriement de la Constitution. En Ontario, la loi 8 visant à accorder des droits à la minorité francophone comporte une clause identique qui permet d'offrir des services en français seulement « là où le nombre le justifie ». Quand l'Ontario a invoqué cette clause dans l'application de sa loi 8, a-t-on entendu des condamnations à travers le pays comme on en entend maintenant avec la loi 178 ? Peterson a lui-même dit, le 4 janvier 1989 : « Je ne me servirais pas de la clause nonobstant en Ontario. Je ne vois rien qui puisse m'amener à le faire[23]. » Et pourtant, le lendemain, il a dû avouer qu'en effet il avait déjà utilisé une clause nonobstant pour son projet de loi 8.

Un simple oubli ou de l'hypocrisie politique ? Pourquoi les autres provinces anglaises cherchent-elles à
jouer aux pharisiens ? Le Canada anglais veut-il dicter
au Québec la manière dont il doit se servir des
pouvoirs qui sont les siens ?

Pourquoi tant critiquer la clause nonobstant, un geste pourtant légitime ?

Le gouvernement québécois est parfaitement
justifié d'utiliser la clause nonobstant. Elle est là préci-
sément pour garantir la suprématie du gouvernement
du peuple sur le gouvernement des juges. Elle constitue un exercice valide et effectif de son pouvoir. Le
Québec était dans son droit d'utiliser la clause nonobstant. Pourquoi ce chantage politique ? Est-on encore
en train de vouloir soumettre les Québécois à une
volonté autre que la sienne ?

La décision du Québec « va à l'encontre de l'esprit du lac Meech[24] », a jugé le Premier ministre du
Manitoba, M. Gary Filmon. Ce dernier a retiré son
soutien à l'accord du lac Meech, quelques heures
seulement après que le Québec eût fait appel à la
clause nonobstant ; c'était une protestation, une façon
de punir le Québec, lit-on dans Le Devoir du
20 décembre 1988. Cependant, nous savons que le
geste de M. Filmon était une manœuvre politique
pour sauver son propre gouvernement minoritaire
d'un cuisant échec au parlement du Manitoba au sujet
de l'accord du lac Meech, puisque les libéraux de

Sharon Carstairs avaient refusé d'entériner cet accord qui, selon eux, donne trop de pouvoir au Québec en lui accordant un statut distinct.

Mais dans toute cette affaire, on semble avoir oublié le fait que ce même Filmon a lui-même limité les droits des francophones au Manitoba. On a également oublié les lois adoptées par l'Alberta et la Saskatchewan au lendemain d'un jugement semblable de la Cour suprême. Les droits des francophones de ces deux provinces ont été rayés des statuts une fois pour toutes et pour toujours. Et maintenant, est-ce qu'on crie à l'injustice ?

Au contraire. Au lendemain de l'adoption du projet de loi 2, faisant de la Saskatchewan une province unilingue anglaise, Bourassa lui-même a trouvé le moyen de dire que cette loi marquait un « léger progrès[25] ». Et durant cette même visite dans l'Ouest canadien, Bourassa ne cherchait pas tant à défendre les droits des francophones qu'à rehausser l'image de la minorité anglaise du Québec. Devant un auditoire anglophone, Bourassa a expliqué : « On vient de passer la loi 142 qui permet aux Anglo-Québécois d'avoir leurs propres services de santé[26]. » Ensuite, il a ajouté : « Ce ne fut pas facile, car l'opposition a tenté de bloquer cette loi d'inspiration humanitaire », et l'auditoire s'est mis spontanément à applaudir. Quelle victoire de plus pour les anglophones ! Pourtant, durant cette même semaine, on venait d'abolir une fois de plus les droits les plus élémentaires des francophones de l'Ouest.

Raoul Hunter, dans *Le Soleil,* 14 avril 1988.

Où sont les véritables défenseurs du Québec français ?

Où sont donc les défenseurs des francophones du Canada et du Québec français ? Alors que tous les politiciens provinciaux et fédéraux sont en train de blâmer le Québec pour avoir utilisé partiellement la clause nonobstant pour protéger sa dignité linguistique, ailleurs, les droits des francophones sont abolis sans créer trop de remous. Il est incroyable de voir à quel point les francophones et le peuple du Québec se font taper dessus. N'est-ce pas une autre preuve du pouvoir considérable des anglophones ?

Bourassa, toutefois, est le plus coupable dans cette affaire. Il a bien sûr hérité d'une décision « pourrie » de la Cour suprême, mais il aurait dû défendre totalement les intérêts du Québec en invoquant la clause nonobstant pour soutenir la loi 101 intégralement. Cette loi est la seule qui défend efficacement l'intégrité du Québec français. Elle n'est pas extrémiste, elle est même généreuse envers la communauté anglophone.

On oublie trop facilement que le Québec, en tant que peuple francophone, est aussi une minorité sur le territoire nord-américain. Mais qui, enfin, défendra ses droits si son premier ministre ne le fait pas ?

Pierre Godin écrivait, dans *Le Devoir* du 22 décembre 1988 : « ...le fait le plus troublant dans la décision du gouvernement Bourassa d'édenter la loi 101 se situe autour de la question suivante : Une société sérieuse et viable peut-elle s'amuser à défaire et à refaire ses lois fondamentales à tous les cinq ou dix ans, à chaque nouveau gouvernement, sans sombrer dans le ridicule suicidaire ? »

C'est le problème fondamental, car si le Québec doit toujours remettre en question sa survie, si le peuple québécois doit sans cesse reprendre le débat linguistique sans jamais pouvoir le régler une fois pour toutes, il s'épuisera et mourra. C'est pourquoi le Québec, afin de mieux respirer et d'entrevoir son avenir avec une plus grande confiance, a besoin d'une loi claire, sans équivoque, puissante et invulnérable qui instaure à tout jamais le français comme seule langue d'usage au Québec. Voilà la décision que doit prendre prochainement le peuple québécois : s'affirmer souverain en prenant les grands moyens ou laisser les autres décider de son avenir.

LE BILINGUISME PERNICIEUX

En Ontario, nous savons à quel point le mot « bilinguisme » est un euphémisme pour parler de l'anglicisation et de l'assimilation. On nous parle d'un pays bilingue, mais ce qu'on retrouve en fait est une majorité de provinces unilingues anglaises où le français est encore officiellement interdit et quelques autres provinces où le français se voit accorder certains privilèges. Jamais, au grand jamais, peut-on trouver une province anglaise où la minorité francophone soit traitée avec équité.

Le cas du Québec est différent. Les anglophones sont grandement respectés malgré le fait qu'ils aient cherché pendant longtemps et qu'ils cherchent encore aujourd'hui à soumettre et à affaiblir le Québec français. Ailleurs, l'unilinguisme anglais est rarement remis en question. Le bilinguisme a commencé au Québec parce que les francophones devaient, eux, se soumettre, et souvent même de force, aux exigences des anglophones.

Il faut lire un peu l'histoire du Canada et parler à certains anglophones canadiens pour se rendre compte qu'on présuppose que le Canada est d'abord un pays anglophone et le restera à tout jamais. Dans leur esprit, le Canada est un pays foncièrement anglophone dans lequel on accorde ici et là des privilèges aux francophones. Le Québec aurait dû, dès le début selon moi, demeurer une province unilingue française. C'est le Québec qui a dû céder en devenant bilingue. Avec une population à 90% francophone, le Québec a dû faire encore un effort de réconciliation pour demeurer dans un pays contrôlé par les anglophones.

Les francophones du Québec ont toujours souffert d'un partage injuste des lois et des conventions, comme les francophones de l'Ontario. Rappelons-nous seulement l'Union des Canadas en 1840 où le Québec a été contraint de payer les dettes contractées par la province de l'Ontario, où le Québec a été limité au même nombre de députés élus que l'Ontario alors que sa population était presque le double. L'injustice historique est partout flagrante. D'ailleurs, dès les premières années qui ont suivi la conquête, l'anglicisation du Québec était une politique clairement avouée. L'accès au commerce, à la fonction publique, à la marine ou à toute autre fonction d'importance était fermé aux francophones, qui se sont ainsi rapidement appauvris. Ensuite, le gouvernement a voulu disperser la population française vers les autres provinces ou vers les États-Unis. Comme un député l'exprime dans le film « Les tisserands du pouvoir », pourquoi avoir laissé partir les Québécois vers les États-Unis pendant qu'on encourageait la venue des Britanniques et des Irlandais au Québec et au Canada ? La plupart des Franco-Ontariens sont issus de cette dispersion forcée. Mes ancêtres, par exemple, sont arrivés en Ontario en 1840 et venaient de Batiscan au Québec. D'autres étaient de Joliette, de Trois-Rivières et de Montréal. Le but de la dispersion était simple : affaiblir la francophonie, affaiblir le Québec et soumettre définitivement les francophones à la domination anglaise.

La politique d'assimilation et de dispersion des Québécois, au XIXe siècle surtout, était plus encouragée qu'on est porté à le croire. Depuis, les anglophones n'ont pas hésité à utiliser tous les moyens à leur disposition pour assujettir le fait français, au Québec comme ailleurs au Canada. Les anglophones n'ont pas encore réussi à angliciser le Québec, mais ils sont sur la bonne voie avec la loi 178.

Le pouvoir traditionnel des anglophones au Québec

Quoi qu'il en soit, les anglophones ont dominé le Québec depuis la conquête, en 1760, jusque dans les années soixante. Pendant deux siècles, l'âme québécoise a été soumise au pouvoir et à la domination anglais. Encore en 1960, un Québécois pouvait devenir un excellent curé, un médecin ou un avocat, mais jamais un homme d'affaires compétent. Les anglophones contrôlaient les cordons du commerce et de la bourse au Québec depuis si longtemps qu'il était encore normal de considérer les Québécois inférieurs en matière de commerce. C'est en grande partie là que se situent les fondements du pouvoir traditionnel des anglophones et voilà pourquoi tant d'importance est accordée aujourd'hui à la question de l'affichage commercial.

La domination anglaise au Québec, liée à la puissance commerciale d'abord, est une longue et vieille affaire historique. Mais, ce qui est incroyable, c'est de constater que ce n'est que depuis les années soixante environ, et surtout avec l'avènement du Parti québécois, qu'un vrai sentiment de fierté et de confiance, aussi bien économique que culturel, s'est manifesté chez les Québécois. Ce sentiment, par conséquent, qui a écarté le traditionnel complexe d'infériorité, est tout nouveau chez les Québécois, et donc très fragile. C'est par cette confiance nouvelle que le Québec a pu se libérer de l'emprise de l'*establishment* anglo-saxon et ce nouvel esprit de fierté et de confiance doit être maintenu à son plus haut niveau si on souhaite voir le Québec atteindre de nouveaux sommets.

La bataille linguistique actuelle n'est pas tant une question de droits fondamentaux qu'un combat pour le pouvoir économique et culturel. Les anglophones se cachent derrière des lois et des chartes canadiennes parce que celles-ci les ont toujours favorisés et donnent à leur croisade une apparence de légitimité et de justice.

Ces lois et ces chartes ne sont qu'une autre manifestation subtile du pouvoir traditionnel de l'*establishment* anglo-saxon. Alors qu'elles protègent les droits des Anglo-Québécois, alors qu'elles accordent le droit d'afficher en anglais dans les commerces même quand ce geste met en péril la francophonie au Québec, elles défendent très peu les revendications légitimes des francophones hors Québec. Tout pour les Anglo-Québécois et très peu pour les Franco-Ontariens, voilà la conception canadienne du bilinguisme, voilà l'esprit authentique des lois et chartes qui gouvernent ce pays.

Alors, qui prendra le haut du pavé au Québec ? Est-ce que les anglophones réussiront à reprendre leur supériorité traditionnelle, ou est-ce que les Québécois maintiendront leur état de confiance et de fierté nouvelles ? Évidemment, il existe un danger : c'est qu'une fierté nouvellement acquise soit facilement perdue, facilement remise en question, facilement mise de côté. Mais rien n'est inévitable dans la vie. Le grand rêve québécois peut s'écrouler aussi rapidement qu'il est né et les Québécois peuvent encore se retrouver, comme avant, sous la domination de l'*establishment* anglo-québécois.

Les anglophones sont devenus historiquement les maîtres, les propriétaires de ce pays. Leurs droits n'ont jamais été bafoués. Au contraire, ils ont profité de leur situation de conquérants pour accaparer autant de pouvoirs et d'espace que possible. Par conséquent, tout ce qu'ils voulaient leur était acquis facilement, comme si c'était un dû. Par contre, depuis les années du Parti québécois, et surtout depuis la loi 101, leur sentiment de supériorité est remis en question au Québec. Leur toute-puissance traditionnelle se trouve limitée par la primauté du fait français au Québec.

La loi 101 n'a pas brimé les Anglo-Québécois

Pendant les années du Parti québécois, les anglophones n'ont perdu aucun droit fondamental. Au contraire, tous leurs droits étaient largement respectés. Pour un Franco-Ontarien, qui serait heureux d'avoir seulement le quart des droits des Anglo-Québécois, se voir accorder le droit d'avoir son propre système de santé apparaît invraisemblable. La loi 101 n'a brimé aucun des droits des Anglo-Québécois. Son but était de revaloriser le fait français au Québec, car c'est le français qui est en danger de disparition en Amérique du Nord, non pas l'anglais. C'est le français qui requiert des mesures de protection contre l'anglicisation et l'assimilation.

Il est certain que le complexe de supériorité des Anglo-Québécois a été miné par l'esprit de la loi 101. Ils se sont réorganisés autour d'Alliance Québec pour regagner le terrain perdu. Cela implique nécessairement pour eux la démolition de la loi 101 et un retour à l'ancien système bilingue. D'une certaine façon, D'Iberville Fortier avait raison. Il est humiliant en quelque sorte de voir son image de supériorité réduite par rapport à celle des autres anglophones de l'Amérique du Nord. L'anglais domine à 98% en Amérique du Nord ; sa puissance est incontestée, même mondialement. Et voilà pourquoi la situation de l'Anglo-Québécois est doublement humiliante : d'une part, appartenir à la langue maîtresse de l'Amérique du Nord et avoir dominé historiquement au Québec, et de l'autre, se retrouver soudainement limité dans son champ d'action et d'expression par une autre langue. C'est un affront à la supériorité de la langue anglaise encore jamais vu en Amérique du Nord ; c'est une offense, si l'on veut, faite à un groupe extrêmement puissant sur son propre territoire par une population traditionnellement faible, arriérée, soumise et surtout considérée dominée par lui. David a en quelque sorte fait trébucher Goliath, et maintenant Goliath est fâché. J'entends l'écho de ces conversations anglaises à Montréal, Toronto et New York qui disent toutes : « Cette fois-ci, les petits Québécois vont prendre leur trou, nous avons assez longtemps enduré leurs effronteries et leurs insolences. » Les Anglais espèrent reprendre bientôt leur place d'autrefois.

La loi 101 n'a pas réduit les droits essentiels des anglophones. Elle constitue cependant un sérieux affront à l'orgueil issu de leur appartenance à la puissance dominante canadienne et nord-américaine.

Il est étonnant de constater qu'en 1989, il existe encore de nombreux anglophones qui, fidèles au vieil esprit colonial, vivent au Québec en anglais et refusent de parler le français. Il y a encore plusieurs anglophones qui ne veulent pas admettre que le français est la langue du Québec.

L'anglais se porte très bien au Québec

Ne vous leurrez pas. La langue anglaise se porte très bien au Québec, et même encore mieux, il me semble, que le français. Pourtant, le français est la

langue officielle du Québec. L'anglais continue d'être
largement utilisé et conserve sa vigueur. Selon un
rapport publié dans *Le Devoir*[27], près de 60% des
anglophones ont déclaré pouvoir vivre entièrement
en anglais au Québec en avril 1987. On ne peut donc
pas soutenir que l'anglais souffre d'une quelconque
difficulté à survivre au Québec.

Il faut surtout lire le récent dossier du Conseil
de la langue française, préparé par M. Uli Locher et
intitulé *Les anglophones de Montréal*[28], pour s'apercevoir à quel point la prétendue intégration des
anglophones au Québec est une exagération et un
mythe. Ces derniers continuent de vivre uniquement
en anglais ; 20% seulement d'entre eux travaillent
dans des milieux à majorité francophone. Pensez-
vous que l'utilisation du français a augmenté chez les
jeunes anglophones ? Détrompez-vous ; selon
l'étude, la situation actuelle est encore pire que ce
qu'elle était en 1978.

Tout ceci est impossible en Ontario. Il est impossible pour un Franco-Ontarien de vivre entièrement
en français. Impossible. Nous devons apprendre l'anglais pour vivre, alors qu'au Québec, les Anglais
jouissent encore du luxe de pouvoir vivre entièrement en anglais et même de n'en ressentir aucun
inconvénient. Mais enfin ! de quoi donc se plaignent-
ils ces anglophones ?

Serge Chapleau, dans *Le Devoir*, 24 octobre 1986.

TROQUER SON ÂME POUR UNE PIASTRE !

Ce matin, après le déjeuner, j'ai pris une longue marche à travers ma petite ville natale de Penetanguishene, et je me suis rappelé l'époque de mes parents, les années cinquante et soixante, quand la lutte pour le français en Ontario était à son plus fort. Penetanguishene, à 90% francophone depuis près de deux siècles, était encore en plein développement. Sa seule rivale de la région était une ville anglaise plus petite appelée Midland. Mon père était alors un jeune laitier prospère qui luttait pour nos écoles françaises.

J'ai passé devant l'église paroissiale de Sainte-Anne où ma mère, pendant de longues années, a joué de l'orgue et où, un certain dimanche matin, le curé Jean-Marie Castex était monté en chaire pour prêcher les vertus de l'anglicisation. Pour s'enrichir, avait-il dit, pour être plus prospère, il faut devenir anglophone. Ses mots, comme une bombe incendiaire, avaient créé l'émeute sur le perron de l'église. Francophones contre francophones, on se lançait des injures et des coups de poing. Penetanguishene, bien sûr, n'a jamais été la même depuis. Une tranchée mortelle s'était établie au cœur de la communauté francophone, entre ceux qui voulaient encore vivre en français et ceux qu'on appelait « les vendus », des francophones qui avaient décidé de s'angliciser.

Je me suis rappelé cette époque en regardant les vitrines des commerces abandonnés, des locaux fermés, dans ce centre-ville maintenant appauvri. Un jour, mon fils m'a dit : « Ça paraît qu'une guerre est passée par ici. » Il avait raison. Penetanguishene vit aujourd'hui sa déchéance ; la communauté francophone, celle qui a maintenu sa langue maternelle, vit maintenant dans son ghetto culturel, et la ville anglaise de Midland, en pleine expansion, est devenue trois fois plus grande.

Si seulement vous pouviez vivre comme un Franco-Ontarien pour une journée seulement, vous comprendriez mieux le fond de ma pensée. La question de la langue dissimule une guerre économique. Voilà la différence essentielle entre votre vécu et le mien : moi, je suis conscient des conséquences néfastes d'une telle guerre. Et vous ?

Le social, le culturel, le politique et l'économique sont interreliés et répondent à un dénominateur commun : la langue. C'est pourquoi, au Québec, en ce moment surtout, si la langue s'affaiblit, l'avenir économique autant que l'avenir tout entier du peuple québécois sera sérieusement remis en question. Je crois que la plus grande faiblesse des Québécois actuellement est de croire que la langue française est moins importante que l'économique ; certains pensent qu'elle peut être classée parmi d'autres questions essentielles pour la survie du Québec alors qu'elle devrait être reconnue comme étant l'unique principe unificateur et intégrateur de la société québécoise.

Robert Bourassa n'est pas de cet avis, lui qui ose même affirmer en pleine conférence de presse qu'« il ne faut pas dramatiser au sujet de la langue, c'est une question importante mais très sectorielle[29] ». Comment puis-je vous faire comprendre à quel point il se trompe ?

Cette attitude est également partagée par tant d'autres Québécois, par des personnalités du monde des affaires, notamment, qui défendent le point de vue des anglophones plutôt que celui de leurs concitoyens francophones, pensant que cela leur rapportera honneurs, richesses et pouvoir.

C'est peut-être aussi la raison pour laquelle plusieurs Québécois sont prêts à sacrifier leur langue, s'il le faut, pour des raisons purement économiques. Quelle tristesse d'en être rendu à vendre son âme et sa culture pour quelques piastres !

Il faut faire attention. Certains sont portés à croire que les anglophones, à cause de leur grand succès économique, sont meilleurs et plus intelligents, et que si l'on adopte leur culture, on deviendra aussi riches qu'eux. Quel mythe ! Quelle illusion ! C'est un mirage qu'on cherche à vous vendre. La pénétration si facile de la télévision anglaise dans les foyers est la façon par excellence, ces temps-ci, pour les anglophones, de vous séduire et de vous faire avaler l'image d'une meilleure vie à la « Dallas ». C'est la force commerciale anglaise qui fait son travail de manipulation de l'inconscient collectif. C'est la grosse carotte qu'on

vous passe sous le nez pour vous faire oublier vos
justes revendications en tant que peuple autonome.
Vous connaissez le vieux dicton : « Le gazon paraît
toujours plus vert chez le voisin » ? Pourtant, le
Québec jouit actuellement d'un haut niveau de vie,
l'un des meilleurs au monde.

L'histoire démontre que, durant les années de
domination anglaise au Québec, les anglophones se
sont enrichis au détriment des francophones. C'était
la raison principale de l'exode des Québécois vers
l'Ontario, vers l'Ouest et les États-Unis au cours du
siècle dernier et au début du siècle actuel. Qui dit
que l'histoire ne peut se répéter ? Avaler le mythe
que l'anglicisation du Québec va nécessairement
enrichir les Québécois est ni plus ni moins la prolon-
gation de cet esprit colonial qui a retardé le développement économique et social du peuple québécois depuis si longtemps. Remarquez bien que si
l'Ontario est aujourd'hui la province la plus puissante
au Canada, c'est parce qu'elle a su exploiter le
Québec, aussi bien que les provinces de l'Ouest et
de l'Est, depuis la Confédération et même avant.

Le bilinguisme, ou l'anglicisation du Québec,
n'apportera pas une plus grande richesse économique. Bien au contraire. Les anglophones vont s'enrichir aux dépens des francophones. Les emplois bien
rémunérés, les postes de commande, les décisions
importantes déterminant l'avenir du Québec seront
de nouveau l'apanage des anglophones.

J'admets volontiers que certains francophones
aussi vont améliorer leur situation économique si le

Québec s'anglicise, mais cela vaut-il le sacrifice de tout un peuple ? Croyez-vous vraiment que votre sort à vous sera nécessairement amélioré ? Une infime minorité de francophones va s'enrichir en s'anglicisant, mais la majorité restera handicapée par le seul fait d'être francophone. D'ailleurs, cette clique de « vendus » a toujours compris à quel point il était profitable d'agir comme collaborateurs des anglophones. Cela remonte très loin dans notre histoire. Je pense notamment à Georges-Étienne Cartier qui fut l'un des grands défenseurs des intérêts anglais et qui, à la fin de sa vie, est allé mourir en Angleterre. Croyez-vous que les politiciens actuellement au pouvoir à Québec et à Ottawa sont tous des gens honnêtes et que bon nombre d'entre eux ne font pas déjà partie de cette clique de vendus ? On peut parler une même langue sans nécessairement partager les mêmes idéaux.

Soutenir les intérêts des anglophones au Québec va peut-être vous laisser au même niveau économique, sans l'améliorer, mais à tous les autres niveaux, le peuple québécois va sûrement s'appauvrir. C'est là, tout au moins, un fait garanti.

La graduelle anglicisation du Québec, comme une longue et lente maladie, affaiblira cette riche culture française au Québec et engendrera un profond changement de société que la majorité des Québécois ne veut pas et qui ne lui profitera pas non plus. À moyen et à long terme, les Québécois seront forcés de sacrifier leur héritage culturel, leur langue, leurs valeurs, leur façon de penser, pour l'illusion d'une vie meilleure manipulée par d'autres, comme si la santé et le bien-être du Québec, son intégrité et son avancement futur n'étaient qu'une question d'argent.

Cette question d'assimilation est, bien sûr, très subtile. Même les Anglo-Canadiens connaissent leur part de déchéance culturelle aux mains des Américains. La plupart ont avalé le grand mythe américain et se retrouvent aujourd'hui sans culture propre, sans fierté véritable. Croyez-moi, il n'y a rien de créateur là-dedans. C'est très grave. Les Anglo-Canadiens projettent maintenant l'image d'une certaine richesse, mais ils vivent la mort dans l'âme.

La mort par l'assimilation est lente, mais tellement tragique. Nous la connaissons, cette mort lente en Ontario. Elle crée en cours de route la haine entre francophones, l'hypocrisie, l'insatisfaction et le manque de courage pour relever les défis de l'avenir. L'assimilation est une défaite de l'intérieur, une décomposition du tissu culturel, tissu essentiel à la fierté d'un peuple. Incapable de se développer soi-même, on demeure tourné vers son passé tout en cultivant un esprit défaitiste. On se retrouve avec un petit esprit refermé sur soi-même et alors, on n'est plus jamais capable de remonter la pente ou de reprendre son destin en main.

Remarquez bien que si je vous dis tout cela, c'est simplement parce que nous avons déjà vécu cette situation en Ontario. Ce même mythe de la supériorité économique anglaise nous a été vendu et a contribué à l'affaiblissement de la communauté franco-ontarienne. Or, devenir semblable aux anglophones n'est pas seulement une question d'apprendre leur langue. C'est aussi adopter leur culture et même parfois renoncer à sa culture française. Les vendus deviennent alors les pires antifrancophones, pires encore que les anglophones les plus endurcis. Et cette tournure des choses est encore une fois très profitable aux anglophones puisqu'ils ne sont plus obligés de lutter contre les francophones. Les vendus le font pour eux.

Faut-il vous le dire ? Faut-il vous le répéter ? C'est la déchéance et la honte. D'ailleurs, certains de ces vendus ont tellement honte d'être de souche française qu'ils changent littéralement leur nom du français à l'anglais en Ontario. Il faut seulement regarder dans le bottin téléphonique de Penentanguishene pour s'en apercevoir. Alfred Lalumière devient tout à coup un certain Fred Light, Jean Roi devient John King, et Ovide Chalifou, Emptybone Catbedcrazy. Croyez-moi, la honte peut mener loin.

En Ontario, je connais ce que veut dire l'appauvrissement de la population en raison de la langue. Le français occupant une place inférieure à l'anglais en Ontario, cela explique pourquoi les francophones ont des revenus moins élevés que la moyenne, pourquoi ils sont moins instruits, pourquoi ils ont moins de pouvoir économique et politique, et pourquoi la culture franco-ontarienne est sans cesse aux portes de la mort. Je ne cherche pas à exagérer ; quand la langue s'appauvrit, le peuple, la société, la population française tout entière en souffrent.

Or, il faut se rappeler que c'est seulement depuis que le Québec a assumé son visage français, dans les années soixante et soixante-dix, que les Québécois se sont enrichis ; ils sont devenus plus fiers, plus forts, plus confiants. Ils ont développé une quantité surprenante de PME solides et avant-gardistes. Il existe même certaines multinationales québécoises. Pourquoi cela ne pourrait-il pas se poursuivre dans un Québec français ? Les Québécois y seraient-ils parvenus sans un renouveau de confiance dans leur culture française ?

C'est à partir de ces grands succès économiques québécois qu'il faut regarder l'avenir avec confiance et reconnaître à quel point le Québec est en mesure de s'enrichir économiquement tout en demeurant français. Depuis la Révolution tranquille, le Québec a su prendre les moyens pour s'extirper de la domination économique anglaise, et pour s'assurer que les profits industriels demeurent de plus en plus au Québec, entre les mains des Québécois, plutôt que d'aller remplir les poches des étrangers. C'est comme ça qu'on bâtit un avenir sûr et fort. Or, avec l'immense potentiel du Québec, tout est encore possible sur le plan économique. Dans sa récente conférence de presse à Bonn, le 17 janvier 1989, le Premier ministre Robert Bourassa a rappelé aux Allemands, qui disposent présentement d'un surplus de capitaux, que le Québec est peut-être « le meilleur endroit au monde pour investir, en raison de l'abondance de la main-d'œuvre, du coût de l'énergie le moins élevé au monde, de la stabilité politique et de l'accès au marché américain[30] ». Voilà en effet certains des facteurs importants qui rendent le Québec attrayant pour les investisseurs étrangers.

Mais en tant que peuple, il faut vouloir assumer son propre avenir économique et faire confiance aux jeunes entrepreneurs et gens d'affaires du Québec. En effet, ce petit peuple courageux et dynamique peut rivaliser avec presque n'importe qui, s'il le veut. Il peut choisir de prendre le chemin d'un grand peuple, s'il fait confiance à son potentiel et décide de prendre en main son avenir.

La confiance et la prospérité sont liées à la langue. Et cette même confiance a permis au Québec d'entreprendre le virage du libre-échange avec les États-Unis. Pourtant, les choses auraient-elles été différentes si les Québécois avaient cru qu'avec le libre-échange leur province se serait anglicisée sous l'influence américaine ?

En tant que Franco-Ontarien, je me demande encore si le Québec sera capable de survivre en français dans le cadre du libre-échange. Si le Québec n'a pas su se tenir debout et rester lui-même devant les pressions des Anglo-Québécois et des Anglo-Canadiens, comment peut-on imaginer qu'il puisse le faire devant les Américains, dont la puissance commerciale est considérable ?

C'est une raison de plus, il me semble, pour renforcer la protection de la langue française au Québec. Voilà aussi une raison de plus pour dire que toute ouverture au bilinguisme au Québec constitue un dangereux pas en arrière, une perte additionnelle

du contrôle économique et politique des Québécois
sur le Québec. Ne pas renforcer la protection de la
langue française au Québec à cette étape cruciale de
son histoire marquée par l'ouverture au libre-échange
signifie que le français s'affaiblit et devient plus vulnérable que jamais et qu'il doit survivre tant bien que
mal sans défense véritable, malgré les forces accrues
de l'assimilation.

LES ANGLOPHONES,
ÇA NE
CHANGE PAS !

Il est extrêmement important pour les Québécois de bien comprendre que, peu importe les bons raisonnements, peu importe les meilleures argumentations du monde au sujet de l'extrême vulnérabilité de la langue française au Québec et en Amérique du Nord, rien, absolument rien, ne pourra persuader les Anglo-Québécois, à ce stade-ci surtout, de réduire leurs attaques contre la loi 101. Rien ne pourra les convaincre de respecter la langue française au Québec et rien ne pourra diminuer leur détermination à reprendre le pouvoir et la suprématie économique dans cette province. Au Canada, le conflit linguistique n'a jamais été une question de bon sens ni de droit légitime, c'est uniquement une question de pouvoir économique et politique.

J'admets volontiers qu'il y a un grand nombre d'anglophones qui comprennent et qui sympathisent avec la cause des francophones. Certains vont même jusqu'à apprendre la langue française, mais ils sont très minoritaires et ne deviennent pas francophones pour autant. Les anglophones peuvent donner l'impression d'une certaine ouverture d'esprit mais ne prendront pas à cœur les problèmes de survie de la langue française.

J'ai quelquefois l'impression que beaucoup de Québécois sont encore endormis et rêvent en couleurs au jour où les anglophones comprendront à quel point la langue française est menacée au Québec, comme si, ce jour-là, les anglophones allaient changer leur fusil d'épaule pour prendre la défense des francophones, comme si, ce jour-là, ils allaient cesser d'attaquer la loi 101 pour devenir de grands défenseurs de la langue française. Ce rêve est typique d'un Québécois trop longtemps soumis, qui espère encore la générosité des anglophones, un peu comme le font encore aujourd'hui les Franco-Ontariens. Dites-vous bien que ce jour-là n'arrivera jamais. Car le but premier des anglophones n'est ni de rendre justice, ni d'avoir pitié des francophones, ni de savoir qui a raison ou pas. Le but des Anglo-Québécois n'est pas d'assurer leur survie, puisqu'elle est déjà assurée, ni de se dire satisfaits de leur traitement ou de leur place au Québec. Le but des anglophones est de remporter une victoire décisive sur les Québécois francophones. Cela implique l'abolition graduelle et complète de la loi 101, rien de moins. Les anglophones comprennent les jeux du pouvoir dans une démocratie et n'hésiteront pas à utiliser toutes les ruses possibles pour remporter cette victoire. Dites-vous bien que, quand on gagne, c'est la preuve qu'on avait raison.

Trudeau avait lui-même écrit, dans *Cité libre* : « L'histoire nous montre que les Canadiens français n'ont pas vraiment cru à la démocratie pour eux-mêmes et que les Canadiens anglais ne l'ont vraiment pas voulue pour les autres[31]. » En effet, il y a plusieurs exemples, à travers l'histoire canadienne (1870, 1885,

1917 et 1942), où la majorité anglaise n'a pas hésité à utiliser la force pour « convaincre » sa minorité francophone. Qui, aujourd'hui, se souvient des années de la conscription ?

La lutte contre la loi 101 va continuer

Les anglophones utilisent toutes les astuces pour justifier leur supériorité et pour nous convaincre qu'ils ont raison. Les Québécois, eux, ont peur d'utiliser leur pouvoir démocratique ; ils ont peur d'affirmer leur puissance nationale. Je comprends facilement pourquoi. Ils ont été soumis aux anglophones depuis fort longtemps et ce n'est que récemment qu'ils ont retrouvé, majoritairement, le sens de la fierté et de la confiance. Les Québécois demeurent timides même quand c'est leur droit démocratique de s'affirmer. La situation actuelle en est une preuve flagrante. Alors qu'ils détiennent le pouvoir au Québec, alors qu'ils se disent maîtres chez eux, ils tolèrent que leur gouvernement fasse des concessions aux oppresseurs d'autrefois, des concessions qui profitent aux anglophones et qui mettent une fois de plus la survie du français en danger. Voilà ce que j'appelle un geste suicidaire national.

Avec cette dernière victoire si importante et cruciale pour eux (la loi 178), les anglophones se préparent de plus belle à une nouvelle attaque de la loi 101. Dans les bureaux calcinés d'Alliance Québec, on digère la victoire de la loi 178 et on prépare déjà le prochain assaut contre la langue française au Québec.

L'important est tout simplement de reconnaître
que les Anglais vont utiliser tous leurs pouvoirs pour
gagner, peu importe les arguments que les francophones pourraient leur offrir. Les anglophones sont
là pour gagner un peu plus de terrain cette fois-ci et
un peu plus de terrain la prochaine fois et cela, tant
qu'il y aura de l'espace et du pouvoir à conquérir au
Québec. Les anglophones diront qu'ils respectent le
fait français au Québec ; ils vont sympathiser avec
les craintes des francophones, et ils iront même
jusqu'à expliquer leur point de vue en français avec
respect et modération. Ensuite, ils continueront d'utiliser toutes leurs forces et leurs énergies pour introduire un peu de bilinguisme maintenant, un peu plus
de bilinguisme plus tard, jusqu'à ce que le Québec
tout entier soit définitivement engagé dans un processus d'anglicisation. Et dites-vous bien que les anglophones sont puissants ; ils ont le temps et toute la
formidable puissance économique nord-américaine
de leur côté. Alors, si les anglophones ne changent
pas, c'est aux Québécois de le faire !

Rolland Pierre, dans *Le Journal de Montréal*, 7 février 1989.

MÛRIR

ou

MOURIR

Il est raisonnable pourtant de penser que les Anglo-Québécois, étant donné leur situation très avantageuse au Québec et leurs liens privilégiés avec l'*establishment* anglo-canadien, pourraient tenter de mieux comprendre les difficultés que connaissent les autres minorités au Canada et le cas très distinct du Québec. C'était d'ailleurs un objectif d'Alliance Québec, lors de sa fondation, que de créer une meilleure entente et un esprit de collaboration avec les minorités hors Québec. Mais rien de tout cela ne s'est matérialisé ; c'étaient seulement de beaux souhaits, de belles formules qui ont permis à Alliance Québec d'aller chercher plus de six millions de dollars de subventions au fédéral depuis sa création. Une fois bien subventionnés, ses 25 employés permanents se sont mis à planifier l'attaque et la destruction de la seule loi qui protège la francophonie au Québec, cette loi qui avait pourtant été la plus grande victoire du Québec français. Dans le fond, quand on reconnaît l'étendue des droits des anglophones comme minorité au Québec, on réalise à quel point ils méprisent le fait français dans cette province et les justes revendications des minorités ailleurs au pays. Dans le fond, les anglophones ne veulent rien comprendre.

Quand tout aura été dit et que chacun aura pris

position dans cette affaire cruciale pour l'avenir du Québec, il faudra se rappeler une chose fondamentale. Les Anglais agissent comme ils l'ont fait depuis des générations ; ils veulent gagner pour avoir raison et personne ne peut s'attendre à ce qu'ils changent leur fusil d'épaule. Non, le vrai problème existe dans la conscience des Québécois, dans votre conscience.

Les Québécois ont été trop longtemps soumis au pouvoir et à la domination des Anglais. Ils ont encore un réflexe de soumission, même quand ils ont en main le pouvoir de se libérer une fois pour toutes. En ce moment, le Québec appartient aux francophones et ce peuple francophone qui désire se libérer possède la capacité d'agir en toute légitimité, démocratiquement, avec justice et fermeté. Pourtant, à cause de cette longue soumission, le peuple québécois hésite encore, tergiverse et n'ose pas prendre de décision.

Quoi que l'on dise, il reste que c'est aux Québécois francophones de se prononcer et d'agir maintenant pour enfin mettre un point final à cette bataille linguistique interminable qui mine leur confiance et leur épanouissement.

Les Québécois doivent eux-mêmes s'affirmer et dire : « Assez, c'est assez ! Si les Anglo-Québécois ne peuvent pas se contenter de tous les droits qu'ils possèdent déjà, s'ils préfèrent agir comme des enfants gâtés et mettre en danger l'avenir et la survie de la francophonie au Québec et au Canada, eh bien, tant pis ! »

Les anglophones cherchent avant tout à accaparer plus de pouvoir au Québec et rien ne peut les en empêcher ni les faire changer d'idée, sauf l'affirmation du peuple québécois. Vous, Québécois francophones, vous devez parler fort et agir avec fermeté. Vous devez dire à tous ceux qui vous entourent, et à votre député notamment, qu'il faut restaurer la loi 101 et la renforcer davantage, pour réaffirmer la fierté nationale du Québec et pour envoyer un message clair et précis aux Anglo-Québécois, aux Anglo-Canadiens et aux Américains aussi : « Au Québec, c'est en français que ça se passe. Le Québec, c'est le foyer de la francophonie nord-américaine et rien ne doit mettre en danger ce rôle primordial. C'est au Québec qu'il doit s'affirmer. Ce sont les Québécois qui doivent assurer leur propre survie et assumer la tâche ultime de protéger la langue française en Amérique du Nord. »

Quand les Québécois auront envoyé ce message, tous les francophones seront mieux respectés. La force du français au Québec et au Canada dépend en premier lieu de la détermination des Québécois. Si les événements continuent de glisser sur la pente actuelle d'un retour en arrière, toute la francophonie sera prise en otage. Le Québec n'est-il pas le foyer de la francophonie en Amérique du Nord ? Eh bien ! il faut l'affirmer. Il faut exprimer clairement cette volonté de vivre en français sans toujours se faire remettre en question, comme si les Québécois n'avaient pas le droit d'assumer ce rôle, comme si les Québécois n'avaient pas le droit d'exister, de vivre et de prospérer en paix et en toute confiance. Les francophones doivent régler leurs propres difficultés et se sauver eux-mêmes. Il ne faut pas attendre que les anglophones viennent régler leurs problèmes.

Francophones, réveillez-vous ! Affirmez-vous en toute confiance, en toute légitimité et en toute justice !

D'ÉGAL À ÉGAL !
RIEN DE MOINS !

Autrefois, les francophones étaient considérés comme l'un des deux peuples fondateurs du pays ; ensuite, il fut question d'accorder un statut spécial au Québec ; enfin, avec l'accord du lac Meech, on parle de « société distincte », une notion que personne jusqu'ici n'a réussi à définir. Vous savez comme moi que cette appellation est vide de sens et de poids politique.

L'accord du lac Meech donne trop peu au Québec

Il s'agit seulement de regarder la récente flambée de critiques de la loi 101 pour s'en apercevoir. Dans cette fumisterie politique, l'entente du lac Meech accorde beaucoup moins au Québec que ce qu'il mérite, tout en ignorant encore une fois les droits légitimes des francophones hors Québec. Pourquoi la protection et la promotion des droits des minorités francophones hors Québec sont-elles exclues de l'entente du lac Meech ? Et pourquoi le Québec se retrouve-t-il avec un statut aussi vague et indéfini ? Les Québécois sont-ils perçus comme un peuple autonome, digne de respect et de reconnaissance, ou plutôt comme l'une des multiples communautés formant le Canada anglais, au même titre, pratiquement, que la communauté ukrainienne de Winnipeg ou que la communauté chinoise de Toronto ? Peut-on alors affirmer que le Québec progresse dans ses revendications nationales ?

Entre-temps, la volonté du Québec français s'effiloche. À chaque nouvelle défaite, il y a une remise en question ; et la fatigue, le découragement, l'écœurement s'installent dans la conscience collective des Québécois. Pourquoi donc vivre comme des masochistes qui attendent les prochains coups ?

N'oublions pas que la clause nonobstant invoquée par Robert Bourassa n'est valable que pour cinq ans seulement. On peut s'attendre à quoi après cela ? Si l'intention des provinces anglaises se réalise, même le droit d'utiliser la clause nonobstant sera aboli.

Le Québec français est dans une situation de vulnérabilité permanente, une vulnérabilité que les anglophones cherchent à accentuer à tout moment, prétextant qu'ils sont maltraités dans ce pays. Aussi longtemps que le Québec demeurera dans cette situation, dans un pays économiquement et politiquement déséquilibré où les francophones se font traiter avec le plus grand mépris, il restera la cible préférée des anglophones, qui continuent de jouer au jeu de la conquête sous le couvert de beaux principes et de grandes chartes.

Le Québec n'a plus d'autre choix que celui de s'affirmer avec force et fermeté devant le Canada anglais s'il veut continuer à vivre en français. Est-ce clair ? Il faut qu'on cesse de vous prendre pour des naïfs, des imbéciles et des aveugles, alors que le déséquilibre fatal est inscrit partout en toutes lettres. Les Québécois ne sont pas des accidents de l'histoire, des étrangers dans leur propre demeure, ni même des « nègres blancs » d'Amérique. Ils doivent maintenant se tenir debout, s'affirmer, pour eux-mêmes, afin de sauvegarder une fois pour toutes l'intégrité de leur maison.

Le pire, dans toute cette affaire, serait de revenir à l'esprit de soumission d'autrefois, attitude qui dissimulait la faiblesse et la peur. C'est malheureusement ce que les évêques catholiques ont récemment suggéré[32]. Après avoir reconnu l'exigence d'une protection supplémentaire du français, même au Québec, les évêques prêchent du même coup aux Québécois d'être encore plus conciliants envers les anglophones en s'adaptant aux « compromis nécessaires » de la loi 178. Quelle contradiction ! Pourquoi, bon Dieu, revient-elle toujours aux francophones, dans ce pays, la tâche de se plier aux exigences des anglophones, alors qu'en ce moment, c'est la culture française qui est menacée, alors que ce sont les Anglo-Québécois bien nantis qui ont engagé les assauts contre la loi 101 ? En étant trop « chrétien », trop généreux, on risque parfois de passer pour bonasse et d'en sortir perdant sur tous les plans, comme c'est le cas en ce moment. Le temps des discours sur la bonne entente est terminé. Il faut que vous soyez maintenant fermes envers les anglophones du Québec et du Canada.

Les anglophones de bonne foi comprennent facilement qu'ils ne sont pas méprisés quand on travaille à instaurer un Québec français. Leur participation à la vie économique et politique du Québec est appréciée. Mais sur la question de la langue d'usage, les choix ne sont pas nombreux. Il ne faut pas être raciste ou fasciste ou même extrémiste pour reconnaître que le Québec est le seul véritable endroit en Amérique du Nord où le français peut vivre et s'épanouir. Il n'y a jamais de compromis possible quand il s'agit de l'élément vital d'un peuple.

L'attitude réaliste veut que la langue anglaise soit respectée au Québec. En Finlande, en Suède, par exemple, on apprend l'anglais mais il n'apparaît pas dans l'affichage public ni dans le discours officiel du gouvernement. Ces pays, pourtant, ne font pas partie d'un immense continent anglophone. C'est le cas au Québec. Voilà une autre raison pour laquelle le français requiert une plus grande vigilance et plus de protection ici.

Il faut aller plus loin que la loi 101

Oui, la Charte de la langue française doit être restaurée et appliquée intégralement au Québec. Mais il faut aller encore plus loin. Même dans le contexte actuel, la loi 101 est insuffisante pour franciser le Québec et demeure constamment menacée, vulnérable aux attaques des anglophones. Elle fut leur cible quatre fois déjà et elle le sera encore à l'avenir tant et aussi longtemps qu'elle ne sera pas solidement encadrée et protégée par une constitution véritablement québécoise, une constitution qui réponde aux besoins des Québécois d'abord. Personnellement, j'espère que l'entente du lac Meech sera rejetée afin que le Québec puisse enfin négocier avec le Canada anglais une nouvelle constitution d'égal à égal.

Dans toute l'histoire du Canada, les ententes constitutionnelles ont toujours été conçues afin de mouler le peuple québécois dans une réalité bilingue, afin de le faire plier aux exigences de la dualité du pays. On a toujours cherché à faire du Québec un peuple qui se compromet au service d'une constitution qui favorise l'anglais d'abord. Il faut que cela cesse. Plutôt que de mouler le peuple dans la Constitution, que la Constitution se moule sur les besoins du peuple. Afin de protéger son véritable caractère français, le peuple québécois est en droit d'exiger une constitution qui lui soit propre, une constitution qui respecte les droits des anglophones et des communautés culturelles, mais qui place finalement le fait français à un niveau intouchable et invulnérable. Il ne s'agit plus de préserver un espace français en Amérique du Nord qui permette au peuple québécois de seulement survivre ; il faut qu'il puisse y vivre et s'épanouir avec assurance et dignité. Même le fait de laisser des juges « étrangers aux intérêts québécois » établir la loi linguistique au Québec est inacceptable et intolérable. Que l'économie prenne son libre cours s'il le faut, mais que toute question relative à la langue, à la culture, aux communications et à l'immigration soit décidée par le peuple québécois et demeure entre ses mains.

Je ne veux pas vous laisser avec l'impression que la loi 101 est l'unique enjeu pour le Québec. D'autres questions importantes, telles que la dénatalité, le vieillissement de la population, l'intégration des immigrants, la perte de la mémoire historique, la dégradation de la qualité du français, etc., constituent de sérieuses préoccupations pour le Québec français. Mais ces problèmes trouveront bien leurs solutions — que le peuple lui-même aura développées et sur lesquelles il pourra lui-même exercer son propre contrôle —, à condition que les Québécois redonnent au français le statut privilégié qu'il possédait sous la loi 101. Tant et aussi longtemps que la primauté du français ne sera pas une question réglée au Québec, toutes les autres inquiétudes ne verront jamais leur dénouement.

Il ne reste plus d'autre alternative pour un Québec français. Il lui faut une constitution qui lui soit propre, qui garantisse son autodétermination, qui protège son intégrité et qui soit à l'égalité de la Constitution canadienne. Voilà l'essentiel pour sauvegarder l'avenir prospère du peuple québécois. Rien de moins.

Quand le Québec sera à l'égal de toutes les autres provinces unilingues anglaises du Canada, il aura alors contribué quelque peu au redressement des torts historiques faits aux francophones de ce pays. Avec un Québec plus fort, fier et bien portant, la langue anglaise ne sera plus tant une menace qu'une alliée et les francophones hors Québec pourront enfin être mieux respectés dans leurs provinces respectives.

Enfin, il faut mettre un terme final à cette fatigante querelle linguistique, afin que le Québec français d'un côté, et le Canada anglais de l'autre, d'égal à égal, puissent alors travailler ensemble, avec tous les autres pays du monde, à régler les problèmes encore plus importants qui menacent l'humanité tout entière à l'approche de l'an 2000.

SOURCES BIBLIOGRAPHIQUES

1. *Le Devoir,* 11 janvier 1989.
2. Le règlement 17 découlait de l'Acte de l'éducation de l'Ontario. Il fut introduit en juin 1912 et fut suivi en octobre 1912 par un autre règlement, le règlement 18, par lequel le ministre de l'Éducation se donnait les pouvoirs de congédier des professeurs et de mettre en tutelle les commissions scolaires qui ne se conformaient pas au règlement 17.
3. Richard Lapointe et Lucille Tessier. *Histoire des Franco-Canadiens de la Saskatchewan,* Société d'histoire de la Saskatchewan.
4. Loi 2 de 1988 : « Loi relative à l'usage du français et de l'anglais en Saskatchewan », gouvernement de la Saskatchewan, 21e législature, février 1988. L'Assemblée législative de l'Alberta a passé une loi semblable en juin 1988, la loi 60 : « Loi linguistique ».
5. *Le Devoir,* 26 janvier 1989.
6. *La Presse,* 27 février 1989. Cette étude, préparée par Mme Angèle Martel pour le commissaire aux langues officielles du Canada, doit paraître en juin 1989.
7. « Loi 8 de 1986 sur les services en français », gouvernement de l'Ontario.
8. *Le Devoir,* 26 janvier 1989.
9. « La Cour pense qu'il n'a pas été démontré que l'interdiction par les articles 58 et 69 de l'usage d'une langue autre que le français est nécessaire pour défendre et pour améliorer la situation de la langue française au Québec ni qu'elle est

proportionnée à cet objectif législatif. », jugement de la Cour suprême dans l'affaire du procureur général du Québec v. La Chaussure Brown's Inc., 15 décembre 1988, p. 75.

10. *Le Devoir,* 19 novembre 1987.

11. « The Supreme Court of Canada decision on Quebec's language law... extended freedom of expression for the first time into the realm of commerce. », *Globe and Mail,* 16 décembre 1988. Cependant, l'opinion exprimée par la Cour suprême fait l'objet de nombreux désaccords chez les juristes. Parmi ceux-ci, Henri Brun, spécialiste en droit constitutionnel et doyen de la faculté de droit de l'Université Laval, la qualifie de « gratuite » et de « très politique », dans *Le Soleil,* 17 décembre 1988.

12. Faute de jurisprudence canadienne, les juges se sont appuyés sur trois jugements américains. Les voici : Virginia State Board of Pharmacy v. Virginia Citizens Consumer Council Inc., 425 U.S. 748 (1976) ; Central Hudson Gas & Electric Corp. v. Public Service Commission of New York, 447 U.S. 557 (1980) ; Posadas de Puerto Rico Associates v. Tourism Co. of Puerto Rico, 106 S. Ct. 2968 (1986).

13. *Le Devoir,* 22 décembre 1988.

14. *Rétention et transfert linguistiques,* Statistique Canada, janvier 1989, catalogue 93-153, tableau 1, p. 1-21.

15. *Présentation des données détaillées du recensement de 1986 pour la région métropolitaine de Montréal,* Statistique Canada, 25 janvier 1989.

16. *Le Devoir,* 17 décembre 1988.

17. *La Presse,* 11 janvier 1989.

18. *Le Devoir,* 21 décembre 1988.

19. *Le Devoir,* 22 avril 1988.

20. *Le Devoir,* 11 janvier 1989.

21. *Le Devoir,* 9 janvier 1989.

22. *Office de la langue française, rapport annuel 1987-1988,* Les Publications du Québec, septembre 1988, p. 20.

23. *Le Devoir,* 5 janvier 1989.

24. *Le Devoir,* 20 décembre 1988.

25. *Le Devoir,* 15 avril 1988.

26. *Le Devoir,* 14 avril 1988.

27. *Le Devoir,* 7 juin 1988.

28. Uli Locher. *Les anglophones de Montréal ; émigration et évolution des attitudes 1978-1983,* dossier du Conseil de la

langue française, Les Publications du Québec, 1988, 220 pages.

29. *Le Devoir*, 21 janvier 1989.

30. *Le Devoir*, 18 janvier 1989.

31. P.E. Trudeau. « Réflexions sur la politique au Canada français », dans *Cité libre*, vol. 2, n° 3, décembre 1952, p. 53. Voir aussi : *Rapport de la première conférence annuelle de l'Institut canadien des affaires publiques* (1954), p. 36 et « Un manifeste démocratique », dans *Cité libre*, n° 22, octobre 1958, p. 1.

32. *Le Devoir*, 14 février 1989.

TABLE DES MATIÈRES

Achevé   Imprimerie
d'imprimer Gagné Ltée
au Canada   Louiseville